Y0-CDK-056

Bonaparte et le mort du Diwan

Du même auteur

Romans

L'œil de Diderot, Librairie des Champs-Élysées, 1998 ; Éditions du Masque, 2010.
La colombe blanche, Éditions du Masque, 1998.
Le cauchemar de d'Alembert, Librairie des Champs-Élysées, 1999 ; Éditions du Masque, 2012.
La nièce de Rameau, Librairie des Champs-Élysées, 1999.
L'assassin de Bonaparte, Éditions du Masque, 2001 ; Le Livre de Poche, 2005 ; J'ai lu, 2014.
Leila la nuit, Éditions du Masque, 2003.
Le baiser de Judas, Grasset, 2004 ; Le Livre de Poche, 2006.
La mort de l'amie, Stock, 2005.
Les papillons n'ont pas de mémoire, Belfond, 2007.
Américain, américain, Flammarion, 2008.

Recueils de nouvelles

Doubles faces, Belfond, 2005.
Méfaits divers, Rivages, 2013.

Essais et reportages

La vie quotidienne en Colombie au temps du cartel de Medellin, Hachette, 1992.
Sans domicile fixe, Hachette, 1993 ; Pluriel, 1997.
Une mort africaine, Seuil, 1995.
Lourdes, sa vie, ses œuvres, Hachette, 1997.
Le curé de Nazareth, Albin Michel, 1998.
Partis sans laisser d'adresse, Seuil, 2001 ; J'ai lu, 2003.
La cage aux fous, Librio, 2002.
Comme un veilleur attend la paix, Albin Michel, 2002.
Victoire sur l'excision, Albin Michel, 2006.
Exclus : Le samu social international, Albin Michel, 2008.
Amazonie, une mort programmée ?, Arthaud, 2009.
Travailler à en mourir (avec Paul Moreira), Flammarion, 2009.
Les 100 livres les plus drôles, Librio, 2010.
Machiavel, Gallimard, 2010.
J'arrête le cinéma, entretiens avec Patrice Leconte, Calmann-Lévy, 2011.
Ils travaillent au noir, Robert Laffont, 2013.
Noir regards, en collaboration avec Marc Faivre, Télémaque, 2013.

HUBERT
PROLONGEAU

Bonaparte et le mort du Diwan

ROMAN

À Sybille et Stéphane,
pour leur petit coin de Paradis.

Chapitre 1

— Je ne suis pas sûr que ce soit très convaincant, mon général.

Ils étaient trois autour de Bonaparte, trois de ceux dont il se sentait le plus proche, et qui le serraient comme des vautours pouvaient serrer un cadavre. Jean-Baptiste Kléber paraissait le négatif du général : géant blond quand l'autre était petit et brun, presque noir tant le soleil d'Égypte lui avait tanné la peau, il dominait ses interlocuteurs du corps comme de la voix. À ses côtés, Jean-Michel Venture de Paradis, interprète officiel de l'expédition, étirait son mètre quatre-vingts et ses cent vingt kilos, une chéchia rouge posée sur ses cheveux jaunis. Bourrienne, ami de Bonaparte depuis leur enfance commune à l'École militaire de Brienne et depuis secrétaire particulier du vainqueur d'Italie, venait de parler. Il n'avait que vingt-sept ans et avait pourtant montré plus d'audace que ses camarades. Toutefois, aucun des trois n'osait livrer le fond de sa pensée et signaler au général en chef de l'armée d'Égypte qu'il avait l'air parfaitement grotesque ainsi attifé. Bonaparte, debout devant un gros fauteuil doré, portait une tunique orientale et un turban qui lui tombait presque sur les yeux, ne laissant dépasser que quelques mèches de ses cheveux gras.

— Que voulez-vous dire par peu convaincant, Bourrienne ? demanda Bonaparte.

— Que…

Le secrétaire bafouillait un peu. Sa tête aux traits balourds, barrée par une grosse moustache, parut encore plus abrutie qu'à l'habitude. Lui qui se vantait avec constance de son rôle dans l'échauffourée à l'entrée au Caire que Bonaparte avait pompeusement appelée bataille des Pyramides, peinait maintenant à exprimer son désaccord, et ses camarades, loin de l'aider, regardaient attentivement leurs chaussures.

— Sébastien, vous qui m'avez l'air plus dégourdi que nos amis, ne trouvez-vous pas que j'ai l'air plus adepte de l'Alcoran que nos alliés du Diwan ?

Le jeune homme à qui s'adressait cette remarque sortit de la pénombre dans laquelle il se cachait. Sébastien Cronberg était beau, et le savait suffisamment pour pouvoir faire semblant de l'ignorer. S'il n'avait pas comme son maître cédé à la tentation du déguisement, il portait autour des épaules un foulard à grands carreaux qui le protégeait de la poussière volant dans les rues du Caire.

— Mon général, l'idée de nous rapprocher de l'islam et de la religion de nos hôtes me paraît une excellente idée. Faut-il pour autant nous mettre à imiter toutes leurs caractéristiques, y compris vestimentaires ? Je n'en suis pas certain. Vous êtes déjà sorti habillé en bey pour la fête du Nil, et cela n'a pas convaincu tout le monde. Si vous restiez vous-même, vous seriez sans doute plus conforme à l'image qu'ils ont déjà de votre grandeur et pourriez encore mieux leur exprimer votre sympathie pour leurs croyances par de simples déclarations, aussi bien rédigées que celle d'Alexandrie.

Cela était assez habilement dit pour être accepté, et un sourire se dessina sur les lèvres de Bourrienne, partagé entre la satisfaction de voir son opinion défendue et le regret de ne pas avoir eu la vivacité de son cadet. Sébastien s'inclina légèrement, envoyant un clin d'œil à Venture de Paradis, dont beaucoup disaient qu'il était le véritable auteur de la déclaration d'Alexandrie, comme de celle qui l'avait suivie à l'arrivée au Caire.

« Peuples de l'Égypte, on vous dira que je viens détruire votre religion, ne le croyez pas. Répondez que je viens vous restituer vos droits, punir les usurpateurs et que je respecte plus que les Mamelouks Dieu, son Prophète et l'Alcoran. »

Dans les milieux arabes que fréquentaient depuis les dignitaires français, ces quelques mots avaient eu un grand succès. Venture marqua d'un discret signe de tête qu'il avait compris l'allusion et qu'il en remerciait Cronberg.

— Ce branleur sait lui parler, glissa Kléber à Venture.

Le général était connu pour la grossièreté de son langage, et se répéter ses sorties était une des joies de l'armée.

D'un coup d'œil, Bonaparte fit le tour des visages qui l'entouraient, et il y lut la même désapprobation. Mécontent, il arracha son turban et l'envoya sur le divan. Cronberg pensa à ce conte écrit par le général et que, un soir de confiance, il lui avait permis de lire. Cela s'appelait *Le masque du prophète* et racontait l'histoire d'un héros de l'islam se faisant passer pour un envoyé de Dieu en utilisant diverses ruses. Le style en était vif et ne cachait pas pour la lointaine religion une fascination dont Cronberg retrouvait un reste dans cette mascarade.

— Je prends note de vos réserves, messieurs, et verrai ce qu'il convient d'en faire.

La pièce où ils se trouvaient était l'une des plus grandes du palais de Muhammad Bey Al-Alfi, cette immense maison dont le propriétaire s'était enfui en Haute-Égypte avant de pouvoir l'habiter et où Bonaparte avait décidé de s'installer. C'était l'un des rares palais du Caire avec une salle de bains à chaque étage, luxe inconnu à Paris, et des vitres aux fenêtres. Il était entouré d'un vaste jardin, à l'ombre épaisse. Une fontaine déversait une eau fraîche, et les femmes qui tournaient autour de Bonaparte venaient y boire et s'y rafraîchir. Deux ânes poussaient régulièrement de longs braiements.

Un bruit à l'entrée de la pièce les fit se retourner.

— Votre Seigneurie est somptueuse. Vraiment somptueuse.

Un homme venait d'entrer, richement vêtu d'une gallabieh aux bords ornés de fils d'or et d'un col en fourrure blanche. Sa tête portait un turban vert, comme celui que venait de quitter le général, mais ce qui, chez le Français, paraissait plaqué et ridicule donnait au contraire une étrange majesté au nouveau venu.

— El-Sadat, mon ami. Vous semblez enfin comprendre ce que je veux faire pour réunir nos peuples, et le respect que j'ai pour vos saints textes.

Bonaparte s'approcha, les bras tendus. L'homme qui s'inclinait devant lui respirait la dévotion hypocrite. Le cheik El-Sadat, chef de la confrérie soufie, descendant du Prophète par Ali, son neveu, avait tout de suite compris que les Français représentaient une arme majeure contre les Mamelouks. Il avait depuis manifesté avec une exemplaire servilité combien il avait parié sur eux. Sans être pleinement dupe de son jeu, Bonaparte, qui avait de son côté saisi la nécessité de s'appuyer sur les ulémas de la grande école coranique d'al-Azhar, aimait à entendre répéter combien son génie tombait à pic pour relever le pays.

— Vous ne pouviez mieux faire pour prouver à notre peuple à quel point vous avez compris leur grandeur et celle de notre foi.

Les généraux se regardaient, un peu excédés, tandis que Bonaparte s'approchait d'El-Sadat pour l'enlacer. Le général en chef marchait maladroitement, ses jambes qu'il jetait hardiment en avant entravées par la gallabieh qu'il n'était pas habitué à porter. Il poussa l'Égyptien vers les fauteuils, où il l'invita à s'asseoir, et les autres sentirent qu'il était temps de partir. Cronberg sortit avec Venture, passant avec lui devant quelques antiquités que Bonaparte s'était fait apporter.

— Vous qui le connaissez bien, vous croyez le général sincère ? lui demanda-t-il.

Il éprouvait une affection grandissante pour le traducteur. Auteur d'un dictionnaire de berbère, traducteur de nombreux textes en arabe, Venture avait été recruté à l'École spéciale des langues orientales et avait embarqué sur l'*Orient*, le navire amiral de l'expédition, où, homme discret, mais conteur doué, il avait animé bien des longues soirées. C'était l'un des meilleurs connaisseurs des affaires arabes de son temps, et la langue qu'il parlait était comprise des indigènes, ce qui n'était pas le cas de tous ceux qui se prétendaient arabophones. Fils d'un orientaliste et d'une Crétoise, drogman de profession, il avait été nommé très jeune à Constantinople, puis en Syrie et ensuite au Caire. Mais c'est son épopée dans les Échelles du Levant avec le baron de Tott qui lui avait valu ses plus grands succès. Ses talents d'interprète se doublaient d'un réel don pour la diplomatie. Plus le temps passait, plus il jouait auprès du général en chef un rôle de conseiller officieux, rôle qu'il partageait avec le consul Magallon.

— Je le connais moins bien que vous, Sébastien, sourit Venture, et si vous ne savez pas la réponse à cette question, je ne pourrais vous la donner. En tout cas, il a vraiment lu l'Alcoran et est capable d'en réciter des versets entiers. Je crois qu'il a une sincère admiration pour le livre et son admirable sagesse. Je ne saurais trop vous conseiller de vous y plonger à votre tour, Sébastien. Mais notre général n'est pas non plus un idéaliste naïf, et il sait parfaitement à quel point cette tolérante admiration peut servir ses intérêts.

La chaleur les cueillit dans le jardin, sèche, impitoyable. En ce début septembre, la fournaise qu'avait été l'été ne s'était guère atténuée, et il fallait attendre les premières heures de la soirée pour qu'elle diminue enfin. La sueur qui le recouvrait ramena Cronberg vers ses souvenirs du désert, où l'armée avait atrocement souffert. Venture, lui, avait l'air de se mouvoir sans ennui aucun sous ces températures et Cronberg envia son maintien, bien qu'il souffrît d'une jambe blessée dans une chute à Venise quatre ans plus tôt.

— Ce pays est dans un désordre que nous n'avions pas soupçonné, poursuivit Venture. L'État ici n'est ni fort ni centralisé. Les Bédouins sont de plus en plus audacieux. Les ulémas sentent le moment venu de s'attaquer aux Mamelouks, aidés par les Ottomans et par nous. La religion s'est pris à croire en son rôle historique, et on voit beaucoup de cheiks susciter la rébellion même s'ils appartiennent à la classe dirigeante. Que fera le peuple ? Nous savons bien, nous, qu'il est souvent imprévisible...

Ils traversèrent de concert les jardins du palais, où caquetaient quelques poules venues on ne savait d'où, puis débouchèrent sur la place de l'Ezbekiyya, au cœur du quartier des notables et des émirs mamelouks. De grands étangs y communiquaient avec le Nil et se remplissaient lors de la crue du fleuve. Même si c'était un des endroits les plus huppés de la capitale, la foule y était nombreuse, presque oppressante, et les mendiants envahissaient les rues autant que dans des quartiers plus populaires.

— Allez-vous à la fête, après-demain ? demanda Cronberg.

— Ces amusements ne sont plus guère de mon âge, sourit l'interprète.

À soixante ans, il était l'un des doyens de l'expédition.

— C'est pourtant vous qui avez suggéré au général d'y participer.

— C'est vrai, et le fait qu'il s'y mêle me paraît s'inscrire dans la démarche de rapprochement qui l'a poussé tout à l'heure à nous jouer cette comédie du travestissement. Faire renaître la fête du Nil, c'était déjà une belle idée. Organiser ensuite la fête du Prophète, que laissaient périr les notables cairotes, ne manquait pas de panache. Avec cette fête de la République, il envoie un signal dans l'autre sens et mêle ainsi nos célébrations aux leurs. C'est d'excellente politique. Mais de là à aller m'y étourdir de mauvaise eau-de-vie et palper quelques almées, il y a un monde...

Ils passèrent devant un mur. Les traces des gonds d'une porte s'y voyaient encore, et une femme grommela à leur passage.

— Encore ces portes, dit Venture. Je ne suis pas sûr que nous ayons eu raison cette fois.

À leur arrivée, les Français avaient fait démolir les portes des darbs, qui risquaient en cas d'émeutes de permettre de fermer trop facilement les quartiers. Les battants démontés avaient ensuite été réunis et brûlés en un immense feu de joie, même si les habitants, terrorisés à l'idée d'être ainsi sans protection, avaient abondamment protesté.

Ils entendirent soudain une chanson en arabe.

— C'est l'air de *Malbrough s'en va-t-en-guerre*, fit remarquer Cronberg. Ces Arabes nous l'ont volé et adapté...

— Adapté est le mot.

— Pourquoi ? Que dit la chanson ?

— Elle parle du général, mais peut-être pas avec tout le respect souhaité, répondit Venture, un peu gêné.

— Allons, dites-moi.

L'espièglerie qui éclatait sur le visage de Cronberg poussa le traducteur à s'exécuter.

— En gros, elle dit : « Tu nous as fait soupirer par ton absence, ô général en chef, qui prends le café avec du sucre et dont les soldats ivres parcourent la ville pour chercher des femmes. Ô République, tes soldats pleins de joie courent de toutes parts pour frapper les Turcs et les Arabes. Salut, Buhharteh, salut, roi de paix. »

— C'est plutôt sympathique, dit Cronberg.

— Ne sous-estimez pas l'humour égyptien : il a toujours été une arme de résistance.

De rue en rue, les deux hommes arrivèrent bientôt près du tout récent Institut d'Égypte, installé dans le palais réquisitionné du Kashif Hassan Jarkis, un haut fonctionnaire ottoman. La maison était somptueuse et avait l'avantage de se dresser à côté du quartier général. Comme beaucoup des membres de l'armée occupante, Cronberg s'était d'abord vu attribuer un logement dans une petite maison, avec d'autres soldats. Rapidement, il s'y était senti à l'étroit et avait voulu changer de logis. Bonaparte le souhaitant près de lui, il avait pu trouver par l'entremise de Venture une chambre à l'endroit où logeaient les savants, y retrouvant quelques-uns des amis qu'il s'était faits pendant le très long trajet à bord de l'*Orient*, et partageait une maison avec les naturalistes Geoffroy Saint-Hilaire et Savigny, les architectes Balzac et Lepère, le dessinateur Dutertre et le jeune Seydoux, l'un des benjamins de l'expédition.

Chapitre 2

La traversée avait été longue. Très longue. Quand la flotte avait quitté Toulon, Cronberg était l'un des seuls, et il n'avait mesuré que tardivement ce que signifiait cette marque de confiance, à savoir où allaient partir les treize vaisseaux, six frégates, trente-six navires de guerre et trois cents bâtiments de transport de l'expédition. Bonaparte lui-même, pour être plus discret, était arrivé à Toulon avec le passeport d'un de ses secrétaires. Pour tous les autres, pour les trente-six mille hommes de troupe embarqués, pris essentiellement dans les armées d'Angleterre et d'Italie, pour les savants, près de deux cents, embarqués sur le même bateau, la destination était restée inconnue. Beaucoup croyaient se rendre à Malte, d'autres en Grèce. Quand il allait sur le pont, où la discipline se relâchait tant l'ennui était grand, des hommes demandaient à Sébastien, comme à tous les officiers, s'il savait où le navire les emmenait, et il mentait, comme tous les officiers, sentant qu'on accordait de moins en moins de crédit à ses propos.

La vie sur l'*Orient* était lente, marquée par de rares incidents de navigation et de grands moments de solitude. Cronberg avait passé les deux premiers jours au pied du lit d'un aide de camp de Bonaparte, le Polonais Sulkowski. Blond, l'air juvénile, ce dernier avait rejoint l'armée révolutionnaire à la fois par enthousiasme pour les idées de la Révolution et pour venger son pays opprimé par la Russie. Devenu très proche du général, il entourait ce privilège d'une jalousie féroce et n'aimait guère Cronberg, lui aussi admis dans la compagnie du grand homme. Leur inimitié n'avait fait que croître, avant que le général ne lui trouve un hamac sous le premier pont, dans une chambrée de quatre-vingts. Le mal de mer terrassait beaucoup de soldats, et il arrivait qu'un homme glisse par-dessus bord et se noie. Les soirées regroupaient autour de Bonaparte les officiers qui avaient choisi de l'accompagner et qui tous avaient eu maille à partir avec le Directoire : Desaix avait été plusieurs fois dénoncé par les Jacobins comme aristocrate, Kléber avait été en butte à la méfiance du Comité de salut public, ce qui aurait pu le mener tout droit à la guillotine et Caffarelli avait ramené du siège de Parme une jambe de bois qu'il affirmait avoir été taillée dans le trône du prince d'Italie. Ils passaient des heures à ressasser leurs griefs, et à refaire qui la campagne d'Allemagne, où Kléber reprochait au gouvernement d'avoir laissé l'armée dans la misère, qui la campagne d'Italie, qui avait au contraire permis à l'armée de se renforcer. L'ingénieur Conté s'était remis au portrait et dessinait ses camarades de voyage, souvent las de devoir garder la pose. Entre eux, les savants s'enseignaient leurs matières : le mathématicien Devilliers en particulier initiait à son art l'aide-timonier, que cela passionnait. Tout devint vite bon à expérimenter : la capture d'un requin amena le naturaliste

Étienne Geoffroy Saint-Hilaire à faire des expériences de galvanisme. De son côté, Bonaparte organisa des soirées où il choisissait un thème dont les participants érudits devaient discuter. Tous étaient conviés, et si certains traînaient la patte, s'ennuyant ferme, Sébastien en fut un fidèle. Les sujets les plus divers étaient abordés, tant la reproduction des espèces que les possibilités de vie sur d'autres planètes ou des questions religieuses plus polémiques…

Tout en écrasant les puces et les poux dont ils étaient tous couverts, il avait écouté les rêves des uns et des autres. Beaucoup de savants étaient tout feu tout flamme, brûlant d'affronter le désert, de fouiller des tombes, de découvrir vestiges et monuments. Bonaparte n'avait voulu que des volontaires, et avait essuyé plusieurs refus. Mais ceux qui étaient partis souhaitaient vraiment le suivre. La prise de Malte avait enraciné chez les hommes la bonne humeur. L'île s'était rendue quasi sans coup férir. Bonaparte avait demandé de l'eau, puis s'était offusqué qu'on ne lui en livre pas autant qu'il le désirait et avait attaqué. Un quadruple débarquement avait eu lieu. Plusieurs des chevaliers de l'ordre de Malte avaient été intégrés à l'équipée, et les autres expulsés. Tous les objets précieux de l'église et de l'ordre avaient été pillés. L'ambiance avait alors changé. Le soir, sur les bateaux, elle devint plus festive. Les soldats jouaient des pièces de leur invention, qui mettaient en scène des militaires valeureux délivrant des mains d'infidèles cruels des jeunes vierges destinées, la reconnaissance aidant, à ne plus le rester longtemps, et les orchestres jouaient des musiques guerrières. Cronberg, un jour de désœuvrement, avait même prêté la main à l'une de ces saynètes, et écrit quelques vers qu'il s'était empressé de vouloir détruire après la représentation mais que les hommes, à qui ils avaient plu, avaient déjà joués plusieurs fois.

La réalité n'avait cueilli l'armée que plus tard, à destination. Quand la côte s'était dessinée au loin, début juillet, tout le bateau avait frémi et les soldats s'étaient pressés sur le pont pour mieux voir. L'horizon était pur, d'un jaune un peu sale, parsemé de quelques arbres. Très vite, ils virent Alexandrie. Bonaparte annonça alors qu'ils allaient en Égypte. Quelques affiches placardées sur les mâts avaient déjà préparé le terrain, prévenant que la ville dans laquelle les bateaux allaient aborder avait été construite par Alexandre et qu'elle se trouvait en territoire mahométan.

— Soldats, leur avait-il dit en débarquant, quand enfin le nom de leur destination volait de bouche en bouche, l'Europe a les yeux sur vous. Vous avez de grandes destinées à remplir, des batailles à livrer, des dangers, des fatigues à vaincre. Vous ferez plus que vous n'avez fait pour la prospérité de la patrie, le bonheur des hommes et votre propre gloire.

Les réactions avaient été diverses. Le côté Scipion l'Africain que voulait se donner Bonaparte avait amusé plusieurs des savants, mais les hommes avaient paru contents, sans que l'on sache bien si c'était le verbe du général qui les émouvait ou le soulagement de savoir enfin où ils allaient qui les rassurait.

Sept mille hommes débarquèrent. Caffarelli, qui fut l'un des premiers, sauta de la barque qui l'avait amené sur le sable et y enfonça sa jambe de bois. Trois assauts furent nécessaires pour abattre les murailles et entrer dans la ville, où la résistance des habitants surprit tout le monde. Mais, mal armés et inférieurs en nombre, ils durent capituler.

— Nos soldats sont les meilleurs du monde, avait confié Bonaparte, enthousiaste, à Cronberg. Nous les avons pris à l'armée d'Allemagne et à ma grandiose armée d'Italie : à elles deux, elles ne feront qu'une bouchée de nos ennemis.

Il obligea les Alexandrins à porter la cocarde et le châle tricolore, et négocia avec les ulémas de la ville une capitulation honorable.

Cronberg mit le pied à Alexandrie avec une excitation extrême. Comme la plupart de ceux qui débarquaient, il n'avait jamais quitté l'Europe, et l'Afrique lui apparaissait comme une terre de fantasmes. Il s'était nourri de la lecture de quelques voyageurs, en particulier le *Voyage en Syrie et en Égypte* de Volney, qu'il avait dévoré à bord parmi les cinq cents livres que Bourrienne avait emportés pour la bibliothèque de Caffarelli. Qu'en attendait-il exactement ? Il ne savait pas trop. Sur le bateau, il en avait longuement discuté avec Dominique Vivant Denon, un dessinateur, doyen des savants, embarqué de justesse alors que Bonaparte ne voulait pas de lui, et Geoffroy Saint-Hilaire, qu'il avait assisté pendant ses expériences avec le requin. Les deux lui avaient avoué leur envie de tout découvrir, la griserie qu'ils éprouvaient à l'idée d'approcher une autre vie, d'autres peuples. Geoffroy Saint-Hilaire espérait ramener des espèces inconnues, et il s'amusait à en imaginer quelques-unes qu'il puisait à un bestiaire fantastique fait de son imagination et des dessins de Jérôme Bosch. Mais c'est auprès de Venture qu'il alla le plus chercher l'expérience.

— Vous verrez, être à l'étranger, c'est se sentir plus grand, plus fort. Tout vous irrigue, et l'obligation de s'adapter à des coutumes autres est une des aventures les plus enivrantes qui soit. Vous aurez l'impression de grandir sans rien faire, d'apprendre rien qu'en vivant. Ce n'est pas l'exotisme qui est une belle chose, c'est au contraire cette lente appropriation des choses.

Il comprit dès qu'il eut posé les pieds à Alexandrie ce que voulait dire Venture. Déjà l'air lui parut différent, avec une fraîcheur et un piquant inconnus de lui. Il regardait partout, envahi par des sensations nouvelles. Ne triant pas ce qu'il voyait, il enregistrait et se sentait en permanence d'une vivacité extrême : tenues des femmes, formes des maisons, intérieurs dans lesquels il jetait un coup d'œil. Il aurait voulu goûter à tout, tout sentir, parler avec les gens, ce dont il était hélas tout à fait incapable. Les maisons à terrasses le ravissaient, la valse des barques de pêcheurs aussi... Tout lui paraissait prompt à susciter l'émerveillement. Pendant que l'armée se répandait, que les soldats cherchaient tavernes et femmes, lui aimait à arpenter les rues, quels qu'en soient les risques. Ainsi dut-il un soir se battre contre deux Bédouins qui l'attaquèrent, ne devant qu'à son habileté à l'épée de rapidement transpercer le premier et de provoquer ainsi la fuite du second. Mais cet incident ne le retint nullement et il recommença ses promenades hasardeuses. « La façon dont vous abordez la première ville étrangère que vous verrez sera pour vous la porte d'entrée de toutes les villes », lui avait dit Venture. Il ne comprit que plus tard à quel point cela était vrai, et quelles que dussent être ensuite les difficultés de la vie au Caire, il devait garder intacte cette envie de s'emplir de ce qui l'entourait.

La déception de l'ensemble des savants était pourtant grande. « Vous rendez-vous compte que nous sommes venus chercher ici les traces de Ptolémée et d'Alexandre, et tout ce que nous trouvons, c'est de la crasse et des pouilleux », s'insurgeait l'architecte Nourry, l'un des plus impatients des savants. Edme Jomard, géographe, homme efflanqué vêtu en permanence de noir et qui avait réussi à se rendre, avant même de débarquer, désagréable à peu près à tout le monde, pestait car il était convaincu depuis le début que l'expédition irait en Italie, pays qu'il se faisait une joie de découvrir, dans la maigre mesure du moins où la joie pouvait lui être un sentiment familier. Conté, inventeur surdoué, essayait de raisonner ses pairs : « Intéressez-vous à l'Antiquité, et vous verrez que ce lieu est plein de richesses. » Mais il convainquait peu, et la déception des troupes devant Alexandrie ne faisait que présager de la suite.

Car l'Égypte devait vite se révéler une maîtresse impitoyable. Si la conquête d'Alexandrie avait été relativement facile, si les quelques jours passés dans la capitale du Delta, bien que décevants, avaient permis de se remettre du voyage, il n'en avait pas été de même de la suite. La chaleur était tombée sur eux sans crier gare. Habillés pour la plupart de lourds habits en drap parfaitement inadaptés, ils avaient l'impression de brûler littéralement sous l'impitoyable soleil égyptien et ne savaient comment lutter. Quand l'armée avait pris la route vers Le Caire en passant par le désert, ils avaient découvert des souffrances encore inédites. Des cloques naissaient sur les parties de chair exposées. Les uniformes collaient à la peau instantanément, baignés qu'ils étaient en quelques minutes d'une sueur qui ensuite irritait la peau. L'intensité de la lumière obligeait à plisser les yeux, et déjà se manifestaient chez les plus fragiles les rougeurs de l'ophtalmie qui allait si terriblement affecter la plupart. Les godillots s'enfonçaient, et il fallait arracher chaque pas à la morsure du sable brûlant. Certains avaient cru bon d'enlever leurs chaussures et au bout de quelques mètres, avaient eu les pieds écarlates. Il n'avait fallu que quelques heures pour que la soif devienne une vraie torture. Quand ils s'asseyaient, les officiers à cheval qui les encadraient les forçaient à continuer. De temps en temps, un soldat criait à l'existence d'un puits, mais ce n'était qu'un mirage. Quand d'aventure ce n'en était pas un, l'eau tirée en était saumâtre et imbuvable. Parfois même, le puits avait été bouché. Des cavaliers bédouins guettaient sur les dunes et, tels les lions avec les antilopes – expliqua de façon incongrue Geoffroy Saint-Hilaire –, attaquaient les retardataires et les achevaient de quelques coups de sabre avant de s'enfuir. L'un d'eux, désespéré, s'était même tiré une balle dans la tempe en hurlant qu'il était arrivé en enfer, et son suicide avait fait le tour de l'armée. Les quatre jours de marche entre Rosette et El-Ramanyeh, plus au sud, avaient été particulièrement durs. Après cet enfer, le premier bain dans le Nil, où les soldats se jetèrent pêle-mêle en débordant leurs chefs, fut un bonheur d'une intensité presque sexuelle...

Ces jours étaient loin désormais. Mais l'arrivée au Caire avait été une nouvelle et immense déception. Loin de la ville des Mille et Une Nuits sur laquelle roulaient les conversations de bivouac, ils avaient trouvé une cité dont la crasse avait repoussé beaucoup, et Dieu sait pourtant que les soldats étaient à ce sujet d'une exigence toute relative. Était-ce l'absence de la mer, l'air plus confiné et plus chaud ? Alexandrie leur paraissait maintenant parée de mille vertus.

Le Caire était grand, et on n'y discernait aucun ordre apparent. Venture avait bien essayé de leur faire comprendre le plan, la citadelle et le cimetière au sud, le quartier d'Ezbekiyya au nord avec le quartier chaud de Bab el-Louk en dessous, la mosquée d'al-Azhar entre les deux, une grande rue, la Qasaba qui traversait la ville, et presque parallèle à elle le Caligc, un canal au long duquel habitaient les riches Mamelouks, cheiks et commerçants. Mais les soldats ne voyaient que des maisons entassées les unes sur les autres le long de boyaux qui plongeaient dans des quartiers presque privés. Beaucoup étaient des impasses et la nuit des portes les fermaient, donnant un aspect profondément inhospitalier à la ville qui, en fait, était une suite de gros villages peu accueillants. Il avait fallu y loger tout le monde.

*

*   *

Avant de rentrer chez lui, Sébastien décida de passer dans le « Petit Paris ». Tout un quartier s'était développé autour d'Ezbekiyya et au-delà du pont du Muski. On y trouvait des enseignes françaises, des boutiques de passementerie, des chapelleries, des magasins de tissus, et l'armée s'y pressait pour tenter de remettre en état des uniformes déjà très abîmés. Les magasins d'alimentation s'y étaient développés : les Français y achetaient tout, largement au-dessus du prix normal. Des toiles tendues couvraient la rue et atténuaient la rigueur du soleil, mais provoquaient aussi un assombrissement qui donnait une impression permanente d'enfermement. Non loin se dressait le « Tivoli ». Créé en face de sa maison par Bonaparte, c'était le parc de divertissement préféré des Français. Jusqu'à dix ou onze heures tous les soirs s'y recréait une petite vie qui copiait celle de la capitale française, y compris dans ses injustices : les simples soldats ne pouvaient en payer l'abonnement mensuel, qui coûtait deux thalers. Cronberg aimait s'y rendre, car il y rencontrait parfois quelques jeunes Égyptiennes, souvent coptes, et qui, sans être faciles, étaient des proies plus accessibles que les musulmanes.

Il s'engouffra dans le couloir qui passait entre deux boutiques et franchit une petite porte en baissant la tête. Dans la salle empuantie par la fumée des bougies où il pénétra, il repéra tout de suite son interlocuteur.

— Sébastien ! s'exclama Geoffroy Saint-Hilaire. Te voir va peut-être dissiper les nuages de cette sombre journée. Tu prends quoi ? François nous a encore mitonné cette gnôle infâme qui t'a fait partir si vite il y a trois jours. Tu en reveux ?

— C'est à ça que tu marches, mon pauvre Étienne ?

— Depuis une heure. Je n'en peux plus de piétiner dans cette ville informe.

Cronberg tira un pouf et s'assit dessus, ses genoux heurtant le plateau rond qui leur servait de table.

— Mais pourquoi tu ne mets pas des chaises et des tables, comme les autres ? demanda-t-il à François, qui s'avançait.

C'était un des cuisiniers embarqués de force sur l'*Orient* et qui avait vite ouvert ce modeste tripot quand la destruction de la flotte française par les Anglais en rade d'Aboukir, première catastrophe à frapper l'armée d'occupation, lui avait fait comprendre qu'il était sans doute ici pour longtemps.

— Ça fait plus couleur locale, non ?

François avait un cruchon d'eau-de-vie à la main. Il s'approvisionnait en alcool auprès des pharmaciens de la ville. Quand ils étaient arrivés, les Français n'en avaient trouvé que chez les juifs et chez les chrétiens, contrôlés par les janissaires qui trafiquaient l'araq. Très vite, les soldats apprirent à fabriquer de l'alcool de dattes, de figues, de raisins secs, et le panneau « Fabrique d'eau-de-vie » avait fleuri dans les rues du Caire.

— Ta situation s'arrange ?

— Pas vraiment, non. Je n'ai aucune nouvelle d'un départ éventuel en Haute-Égypte. Je ne suis pas un militaire et je n'ai aucune envie d'en devenir un. Mais avec ce désert interminable et cette ville insupportable, je perds mon temps.

— Tu en as parlé à Girard ?

— Oui, et il est prêt à m'embarquer. Mais pour prendre des relevés topographiques. Qu'est-ce que j'en ai à faire ? Je n'y arriverais même pas bien. Alors je piaffe. Tu te souviens que j'avais rêvé de ramener des éléphants et des girafes au Jardin des Plantes... Jollois est comme moi. Il a bien l'intention de relever les temples antiques : il paraît qu'il y en a de prodigieux. Mais quand ?

— Ne brûle pas les étapes : tu vas te faire taper sur les doigts...

— Ça va, on ne guillotine plus...

Il éclata d'un rire juvénile. En voilà un que la déprime n'avait pas atteint.

— Tu te prépares pour cette fête ?

— Bien obligé : on croirait que nous ne sommes venus ici que pour ça. Le mouled, la fête du Prophète... Vas-y que je te déguise, et que je danse, et que je bois... Je me demande ce que ces pauvres Égyptiens pensent de nous.

— Tu as fait des progrès en arabe ? Ça devrait t'éclairer ?

— Pas beaucoup, non. J'essaie, mais, tout à fait entre nous, je n'ai pas l'impression que nos traducteurs s'en sortent forcément beaucoup mieux. Berthomieu en particulier m'a l'air de ne pas comprendre plus que moi. Il dit avoir fait de l'arabe classique, et que les gens d'ici parlent un autre charabia. Je veux bien, mais à quoi lui sert sa science, alors ?

— Demande à Venture...

— Mais il ne lâche pas le général. Il a carrément passé la bataille des Pyramides à ses côtés. Tu penses bien qu'il a autre chose à faire qu'à enseigner de jeunes savants qui s'emmerdent toute la journée.

Cronberg rit. Comme beaucoup de recrues, il essayait de prendre quelques cours d'arabe mais peinait avec cette langue qu'il était en plus incapable de lire. François passa et leur proposa une deuxième tournée d'eau-de-vie. Geoffroy Saint-Hilaire tendit son verre, mais Sébastien s'abstint.

— Je crois que j'ai atteint mes limites.

Il se leva.

— Je retourne chez nous. À tout à l'heure.

La nuit s'était à peine rafraîchie. Sébastien longea le Calige jusqu'au quartier de l'Institut. La sentinelle qui était à l'entrée du bâtiment s'était un peu assoupie, et il s'amusa à la réveiller. Elle sursauta. C'était un vieux routier de la guerre d'Italie, qui le reconnut. Il sourit. Les hommes aimaient bien Sébastien : il savait trouver la juste distance avec eux, et cette attitude atténuait les jalousies que suscitait une proximité avec Bonaparte que beaucoup d'entre eux ne comprenaient pas. Il passait beaucoup de temps à écouter les vieux soldats ressasser leur déception devant l'aridité égyptienne et se réconforter en idéalisant la campagne d'Italie et ses splendeurs.

Il continua jusqu'à la chambre qu'il partageait avec Geoffroy Saint-Hilaire. C'est une petite pièce qui donnait sur un balcon, avec des moucharabiehs et un mobilier qu'il avait trouvé sur place. Fatigué, il s'étendit sur le lit et s'endormit immédiatement.

Chapitre 3

Une main soudain le secoua violemment. Il bondit, cherchant à attraper son arme, manqua tomber de son lit, puis se ressaisit en voyant la tête inquiète de l'une des deux sentinelles qui gardaient l'Institut.

— Monsieur Cronberg, réveillez-vous. Vite !

L'eau-de-vie embrumait encore ses pensées.

— C'est le général. Il vous demande...

Le mot de « général » finit de dissiper les brumes qui entouraient Cronberg.

— Où ça ?

— Chez lui. Une voiture vous attend. Il faut partir tout de suite.

Déjà Cronberg avait enfilé sa redingote et attrapé un pistolet. Geoffroy Saint-Hilaire, rentré depuis peu, s'était dressé sur sa couche, et il l'avait incité à continuer sa nuit, ce que l'autre avait fait sans hésiter.

Il dévala l'escalier et traversa le jardin en courant. Une voiture l'attendait à la porte. Elle fila dans les rues endormies du Caire. La plupart des maisons étaient noires, et seules deux ou trois boutiques laissaient filtrer un rai de lumière. Un mendiant se poussa rapidement quand la voiture le frôla et jeta à son encontre quelques invectives en arabe.

Cronberg stoppa devant la maison de Bonaparte, éclairée à la lueur de chandelles. Le général était dans le salon, revêtu à nouveau de ses habits de soldat.

— Je relisais cela. Ce baron est étonnant…

Il jeta sur la table un exemplaire annoté à de nombreux endroits des *Mémoires du baron de Tott sur les Turcs et les Tartares*. Cronberg se demandait parfois si Bonaparte dormait vraiment aussi peu qu'il le disait ou si tout cela n'était qu'une mise en scène un peu puérile pour prouver sa puissance…

— Sébastien, on vient de me prévenir du Diwan. Les veilleurs y ont trouvé un cadavre et ne semblent pas savoir de qui il s'agit. Il faudrait que vous alliez voir là-bas. Je vais bien sûr lancer une enquête officielle, mais j'aimerais que, de votre côté, vous creusiez cette histoire et m'en rendiez compte personnellement. Vous ne vous étiez pas trop mal débrouillé avec ce meurtre chez Barras…

— On ne sait pas de qui il s'agit ?

— Non. Il va sans doute falloir faire emmener le corps. Allez-y vite. Personne d'autre que vous n'est prévenu. Je vous donne deux hommes et vous pouvez garder la voiture.

Cronberg jeta un coup d'œil sur le cartel posé sur la cheminée : il marquait trois heures vingt. Il salua et tourna les talons, quand Bonaparte le rappela.

— Vous vous souvenez de ce que Volney nous disait ? Pour s'établir en Égypte, il faudra mener trois guerres : une contre les Anglais, une contre les Turcs et la plus dure de toutes contre les musulmans. Espérons qu'elle ne vienne pas de commencer…

*

* *

Quand Cronberg arriva au Diwan, il sauta de la voiture et se précipita dans la grande pièce où se réunissaient les membres du conseil. C'était un vaste salon, couvert de tapis sur lesquels étaient dispersés une dizaine de coussins. Des narghilés étaient posés devant eux et de grands plateaux servaient à apporter les repas qui y étaient fréquemment servis. C'était là, près d'un de ces plateaux, qu'était étendu le corps d'un jeune homme. Une large plaie à la gorge avait libéré des flots de sang, qui avaient imprégné le tissu jusqu'à en effacer toute autre couleur. La coupure était franche et nette, comme si un seul coup avait été porté.

Cronberg s'approcha.

— On a retrouvé l'arme qui a servi à le tuer ? demanda-t-il aux deux soldats qui gardaient le cadavre.

— Non, monsieur.

Il fureta dans la pièce, examinant les traces de sang. Il en retrouva près de la porte. Le corps avait donc été transporté. La porte n'avait pas été forcée.

— Cette porte était fermée ou ouverte ?

— Quand nous sommes arrivés, elle était ouverte...

— Et qui a trouvé le corps ?

— La gamine...

— Quelle gamine ?

— Elle vient nettoyer souvent. Elle est à côté, elle ne fait que pleurer...

— Allez me la chercher.

L'un des hommes sortit et revint avec une enfant en larmes, qui se cachait le visage dans les mains. Elle avait une douzaine d'années, était sale et mal habillée.

— Regarde-moi, petite fille.

Elle ne bougeait pas, toujours secouée par ses hoquets. Cronberg essaya de lui parler avec son très maigre arabe.

— *Bis ni, ya habibi.*

Elle leva les yeux. Cronberg lui sourit. On disait souvent que les petites filles se développaient très tôt, et que beaucoup en abusaient, mais il chassa cette idée.

— Allez me chercher quelqu'un qui parle arabe et français, dit-il à un des soldats sans lâcher l'enfant des yeux.

Elle se calma un peu. Les derniers sanglots qui soulevèrent sa poitrine furent d'un coup plus chuintants.

Le soldat revint avec un des gardiens du Diwan. C'était un marchand grec catholique qui était très mécontent d'être à ce poste. Mais la pénurie de traducteurs avait obligé à recruter de force parmi les arabophones et à les placer à des postes stratégiques.

— Demande à cette enfant comment elle a trouvé le corps…

L'homme s'exécuta. L'enfant fondit à nouveau en larmes. Cronberg sentit l'énervement le gagner, mais se força à continuer de sourire et prit la main de la petite entre les siennes.

Elle essayait visiblement de se maîtriser. Deux, trois mots enfin s'échappèrent de ses lèvres. Et soudain ce fut une logorrhée, incompréhensible pour Cronberg. Le gardien essayait de suivre.

— Je crois qu'elle dit qu'elle était venue ce matin pour nettoyer. Il faisait nuit, alors elle ne l'a pas vu tout de suite. Elle a commencé à passer le chiffon.

— Elle le passe de nuit, sans voir ce qu'elle fait ?

— Oui, c'est ce qu'elle dit.

Cronberg comprenait mieux pourquoi la pièce lui paraissait si sale.

— Et elle a buté sur le corps. Elle n'a pas compris ce que c'était, alors elle l'a touché. Elle a mis d'abord la main dans le sang. Elle a crié et est allée chercher quelqu'un.

— Qui ?

— Moi. Mais je n'ai pas voulu venir seul, alors j'ai appelé un des soldats.

— Lequel ?

Il fallait lui arracher tous les mots.

— Celui-là.

Il désignait un petit roux qui s'appelait Dufour et qui avait été blessé devant Alexandrie.

— J'ai juste vu qu'il y avait un corps. Alors je suis allé à la maison du général pour prévenir et je suis revenu.

Cela n'avançait guère Cronberg. Un soldat entra à ce moment-là. Cronberg reconnut un de ceux qui gardaient la maison de Bonaparte.

— Le général m'envoie. Il vient de convoquer un Diwan exceptionnel. Vous devez rester, monsieur, et faire en sorte que la pièce soit présentable.

Cronberg se tourna vers Dufour.

— Transportez le corps dans la pièce à côté. Et demandez à cette gamine de me nettoyer tout ce sang et de cacher les coussins.

Il vit le regard de l'enfant.

— Non, demandez à quelqu'un d'autre. Et laissez-moi seul dans la pièce un petit moment.

Les deux soldats prirent le cadavre par les bras et les pieds, et le bougèrent. Le jour se levait et il colorait la pièce d'un jaune encore pâle. Cronberg sentit soudain la fatigue l'envahir et étouffa un bâillement.

*
* *

Il ne fallut qu'une heure pour que la pièce soit prête. Bonaparte était arrivé le premier pour juger de l'effet. Venture l'avait rejoint peu de temps après : le marchand-gardien ne pourrait plus suffire à la tâche.

— C'est bien, avait-il dit à Cronberg. Je ne tenais pas à ce que ce lieu se retrouve marqué par un spectacle odieux à ceux qui composent notre assemblée. Sébastien, je compte sur vous pour observer les réactions de ces messieurs.

Les membres du Diwan, institué le 25 juillet, arrivèrent peu après. Ils étaient neuf, tous choisis parmi les cheiks d'al-Azhar, cette « Sorbonne de l'Orient ». Magallon et Venture les avaient désignés à la fois pour leur prestige auprès des Égyptiens et leur maigre capacité de résistance. Tous s'étaient engagés à ne rien faire contre l'armée, et devaient être la courroie de liaison entre les autorités françaises et les élites égyptiennes pour tout ce qui concernait la gestion de la capitale. Puis ils avaient nommé les magistrats, en excluant les Mamelouks, selon les vœux de Bonaparte. Pendant les premières semaines, ils s'étaient réunis comme prévu tous les jours à midi, sous une double garde française et turque. Mais très vite, l'habitude s'en était perdue.

— Messieurs, je suis content de voir que vous êtes tous venus. Votre assiduité laissait de plus en plus à désirer.

L'un après l'autre, les cheiks s'inclinèrent devant Bonaparte.

— Sultan El-Kebir, tu es cruel avec nous.

C'était le cheik El-Sharkawi qui avait parlé. Il avait une cinquantaine d'années et une barbe grise taillée avec soin. Chef du Diwan, c'était l'un des plus familiers avec Bonaparte, et sans doute aussi l'un des plus fidèles. Il avait parfaitement compris le rôle de l'assemblée et comptait bien qu'elle serve ses intérêts en lui obtenant sa part de ce qui allait être pris aux Mamelouks.

— Vous aviez commencé à vous réunir tous les jours à midi. Cette ardeur n'a duré qu'un mois.

— Parce que le peuple est content et ne vient plus guère nous voir.

Le cheik El-Sawi, qui venait de prendre la parole, était chargé des marchés et de l'approvisionnement de la ville. Il ne s'était que peu investi dans sa tâche, secondant faiblement les soldats qui faisaient le gros du travail.

— Je suppose que le cadavre trouvé ici est aussi un signe de leur contentement.

Un cri s'échappa de toutes les bouches. Bonaparte ne répugnait pas à être violent et il éprouva un certain plaisir à voir vaciller ceux qui étaient devant lui.

— Un cadavre ? De quoi parlez-vous ?

Tous se mirent à parler en même temps. Venture ne suffisait plus à la traduction, et ceux qui connaissaient quelques mots de français les jetaient au général, qui regardait l'assemblée avec un sourire ironique.

— Messieurs, déclara-t-il soudain, ce matin, un corps a été trouvé à cet endroit.

Il s'arrêta, goûtant son effet.

— C'était un homme. Il a été égorgé.

Des exclamations d'horreur jaillirent. Cronberg, qui était resté dans l'ombre, regardait les visages, cherchant celui qui de toute évidence feindrait la surprise. Il ne put repérer personne dont l'émotion ne parût sincère.

— Je ne sais pas encore le pourquoi de ce meurtre, mais je ne peux considérer comme innocent le fait qu'il ait été commis dans ce lieu qui devait être le symbole d'une union franco-égyptienne que vous avez trop laissée dépérir. Il va falloir résoudre ce crime. Mes soldats vont enquêter, sous les ordres du général Dupuy, avec l'aide de Mustafa Agha et de ses janissaires, et je vais vous demander de leur apporter votre entière collaboration. Je ne suis pas naïf au point de croire que tous les habitants de ce pays ont compris et accepté la mission de la France sur ces terres. Ce cadavre est la preuve que nous avons encore des ennemis.

Un murmure d'approbation monta du groupe des cheiks.

— J'espère que votre accord est sincère et que nul d'entre vous n'est impliqué dans ce crime odieux. Je me permets de vous rappeler que vous avez tous prêté serment de ne rien faire contre les intérêts de l'armée. Vous savez aussi que je fais couper cinq ou six têtes par jour...

Un autre murmure, de protestation cette fois, s'éleva du même groupe.

— Je ne doute pas de votre soutien, continua Bonaparte avec une ironie appuyée. Aussi vais-je commencer à le solliciter. Le corps qui a été égorgé n'a pas encore été identifié. Je vous serais reconnaissant de bien vouloir passer devant lui et nous dire si vous le connaissez.

Les protestations furent plus violentes.

— Messieurs, s'il vous plaît.

Cronberg s'était faufilé dans la pièce où se trouvait le cadavre et, dissimulé derrière une tenture, il serait plus apte à repérer celui qui aurait pu mener un double jeu parmi les membres du Diwan.

Le corps avait été installé sur un sofa, des bougies disposées autour de lui. La lumière creusait les ombres du visage, accentuant sa maigreur. La plaie avait été lavée, et Cronberg regarda plus attentivement sa tête. Il avait une vingtaine d'années. Les cheveux étaient coupés assez court, et le turban tombé à terre dévoilait une calvitie précoce. Cronberg sourit : perdre ses cheveux était pour lui l'une des pires disgrâces qui puissent frapper un homme, surtout aussi jeune. Ses mains ne montraient en tout cas pas les cals caractéristiques du travail de la terre, mais ses vêtements étaient pauvres et usés.

Venture avait comme instruction de laisser entrer les cheiks un par un. Tous s'avancèrent près du corps, de façon à être dans la lumière. Leurs expressions différaient : El-Sadat, à qui tout semblait faire peur, eut un mouvement de recul et resta plus distant que les autres, El-Sawi, sensible, colla des feuilles de menthe contre son nez avant même d'entrer dans la pièce et les renifla abondamment. Les autres eurent l'air indifférent, à la fois habitués au spectacle de la mort et trop imbus d'eux-mêmes pour afficher une quelconque compassion. El-Sharkawi eut un petit sourire sardonique et s'approcha tout près, étudiant longuement le corps et suscitant quelques interrogations chez Cronberg.

Mais à leur sortie, ils firent tous des réponses identiques : non, ils ne connaissaient pas le mort ; non, ils n'avaient aucune idée de l'endroit d'où il pouvait venir. Deux d'entre eux, désireux d'évacuer le problème le plus vite possible, émirent l'hypothèse que sa présence dans ce lieu n'était qu'une coïncidence.

Bonaparte les renvoya chez eux, après les avoir rappelés à l'ordre.

— Je ne sais si ce Diwan est menacé de l'extérieur, mais je refuse qu'il le soit de l'intérieur. Je vous serais reconnaissant, messieurs, de bien vouloir honorer vos engagements et d'être à nouveau assidus aux réunions quotidiennes.

Cronberg n'était pas sorti de la pièce où gisait le corps. Lui aussi se pencha dessus. Il ne vit rien, mais ses narines frémirent.

Il y avait dans la pièce un parfum. Un parfum entêtant, prenant. D'où venait-il ?

S'éloignant du corps, il sentit l'odeur s'estomper et comprit que c'était du mort que venaient les effluves. Mais comment était-ce possible ? Pourquoi cet homme d'apparence virile se serait-il parfumé ainsi ? Et si... Si c'était le meurtrier qui l'avait laissé derrière lui, ce parfum ? Si c'était un indice ? Cela paraissait un peu simple, mais rien ne devait être laissé au hasard. Il releva sur le corps un endroit où l'odeur était plus particulièrement prononcée et découpa un bout de la chemise.

Chapitre 4

Le consul Charles Magallon ne s'amusait pas tous les jours. Grand ami de Mourad Bey dans les années 80, homme de contacts, voire de magouilles, il avait été ruiné par la reconquête ottomane en 1786, et n'avait rien retrouvé de son prestige auprès des Mamelouks quand ceux-ci étaient arrivés au pouvoir. Son mémoire sur l'Égypte avait fortement influencé celui de Talleyrand devant le Directoire qui avait mis l'expédition sur les rails, comme sa connaissance très pointue aussi bien des rouages de l'économie égyptienne que de l'activité réelle des Français installés sur place. Après de nombreuses tentatives, il était revenu dans les bagages de Bonaparte, et il lui arrivait de s'en mordre les doigts tant son quotidien était fait de multiples complications. La commission administrative mise en place par le général en chef et qui nommait tout responsable civil était en particulier un vrai casse-tête, devant créer *exnihilo* ou presque des structures capables de répondre aux besoins d'éducation, de monnaie, de douanes, de perception... Aussi accueillit-il Cronberg avec un enthousiasme très réduit.

— Monsieur Magallon, c'est le général qui m'envoie.

Son statut de favori du général, et la façon dont il pouvait arguer de son nom presque en permanence, rendait Cronberg assez impopulaire parmi les autres membres de l'expédition, quasiment obligés de s'arrêter pour l'écouter chaque fois qu'il intervenait.

— Que puis-je pour vous, monsieur Cronberg ?

— M'indiquer le nom d'un parfumeur.

— D'un parfumeur ? Vous voulez faire un cadeau ?

Cronberg ne répondit pas. Il n'aimait pas Magallon et préférait profiter de la supériorité de sa position pour ne pas lui fournir d'explications. L'autre, sentant ce mépris, se tortilla un peu sur sa chaise.

— Bien sûr, j'en ai rencontré quelques-uns. Mais...

— Je voudrais quelqu'un de très compétent, et susceptible d'analyser un parfum. Vous qui connaissez tous les Français entre ici et Damas devriez pouvoir me trouver ça...

— Analyser un parfum... Diable ! La plupart de nos boutiquiers ne sont pas de grands experts. Mais je me souviens d'un homme qui avait un nez particulièrement délicat et qui est venu demander le droit de tenir une parfumerie. Il est revenu avec nous après la prise d'Alexandrie et a ouvert dans le Khan une boutique où se servent les plus distinguées des dames de la ville.

— Et il s'appelle ?

— Mathurin Desbois. Vous le trouverez près d'al-Azhar.

Cronberg était déjà debout.

— Merci, monsieur le consul. Je rapporterai au général votre bonne volonté...

Cronberg se précipita vers le Khan el-Khalili, le grand marché du Caire. Il lui arrivait d'y flâner : contrairement à beaucoup, il avait envie de mieux connaître la cuisine égyptienne et se renseignait sur les diverses épices du marché, passant d'étal en étal, se faisant indiquer le nom des choses, goûtant à tout... Mais il n'avait pas le temps aujourd'hui. Il savait qu'il lui fallait faire vite, que les effluves allaient s'estomper d'un moment à l'autre.

Il trouva sans grand effort la boutique de Desbois, qui était effectivement fort bien située, à deux pas de la mosquée d'al-Azhar.

Par chance, elle était ouverte. Cronberg fut immédiatement assailli par une multitude d'odeurs. Des bocaux divers et soigneusement scellés contenaient des plantes ou des poudres. Comment quelqu'un pouvait-il s'y reconnaître ?

Un homme vint à sa rencontre, s'essuyant les mains sur un torchon constellé de taches.

— Mathurin Desbois ?

— Oui.

Mathurin avait une bonne tête de paysan déraciné. Petit, chauve, le visage brûlé par le soleil et le crâne couvert de plaques rouges, il sourit en voyant Cronberg. Les Français se sentaient très seuls au Caire. Très rares étaient ceux qui parlaient arabe, et voir un compatriote était toujours un plaisir.

— Je m'appelle Sébastien Cronberg. Je ne crois pas que nous nous connaissions.

Mathurin avait un nez exceptionnel et avait laissé pendant des années ce talent en jachère complète. Ce n'est qu'à Malte où, avec les autres soldats, il s'était livré au pillage de quelques maisons, qu'il s'était découvert une grande sensibilité aux parfums qu'il n'avait jamais respirés jusque-là. Arrivé au Caire, il avait plongé dans cet univers de fragrances absolument unique et s'était pris de passion pour ce dernier. Il avait depuis ouvert un petit magasin, dans lequel venaient s'approvisionner à la fois les femmes des Mamelouks et les soldats en quête de bonnes amies.

— Je travaille avec le général Bonaparte, dont je suis très proche.

— Ah, le général, sourit Mathurin. En voilà un que le problème du parfum préoccupe peu. Mais c'est vrai de presque tous nos chefs...

Cronberg sortit le bout de tissu de son sac, comme il l'avait fait dix fois dans l'après-midi.

— Il reste une odeur de parfum sur cette étoffe. Seriez-vous capable de l'identifier ?

Le boutiquier la colla sur son nez. Il ferma les yeux, huma longuement.

— C'est un peu difficile. Beaucoup d'autres odeurs s'y sont mêlées, dont celle de votre sac je suppose. Je distingue...

Soudain, il se figea.

— Non... Je distingue... Mais oui, c'en est. Il y a de la rose, bien sûr, du jasmin. Mais ça, vous l'aviez repéré vous-même.

Il n'en était rien, mais Cronberg ne démentit pas.

— Le plus étonnant, en revanche, c'est qu'il y ait aussi du tagète.

— Du tagète ?

— Oui, de l'huile essentielle de tagète. En fait, j'ai l'impression que plusieurs parfums divers et forts ont été mélangés ici, sans bien faire le détail.

Cronberg le regarda avec attention.

— Vous voulez dire que l'on ne se souciait pas de l'harmonie des odeurs ?

— Non, plus de la quantité, j'ai l'impression...

— Comme si on avait davantage voulu couvrir une autre odeur que parfumer quelqu'un ?

— C'est un peu ça, oui...

Cronberg reprit son morceau de tissu et le replia.

— Et ce tagète, on en trouve beaucoup ?

— Non, justement. Il vient d'Amérique du Sud. Je ne vois pas comment il aurait pu parvenir jusqu'ici autrement que par les Turcs. On le fabrique avec une huile qui sent fortement la pomme et qui a également des vertus thérapeutiques...

— Et qui peut en faire venir ? Vous-même, vous en avez souvent ?

— Rarement, pour ne pas dire pratiquement jamais... J'en ai eu un petit peu quand j'ai ouvert, mais c'est parti très vite et depuis je n'en ai plus. Vous en trouverez peut-être chez les riches dames de la ville, ou dans les harems... Sett Nafissa, je crois, en utilise.

Cronberg fourra à nouveau le bout d'étoffe dans son sac.

— Mathurin, vous m'avez été fort utile. Soyez-en remercié.

En sortant de chez Desbois, Cronberg entendit le chant du muezzin emplir le ciel. Il s'arrêta pour l'écouter. Si l'idée de religion lui paraissait de plus en plus absurde, il était toujours sensible à ses rites et trouvait un charme fou à ce long bourdonnement qui s'emparait de toute la ville et au rythme qu'il donnait à la vie quotidienne. La plupart des soldats, en revanche, considéraient comme grotesque l'agenouillement des fidèles et pestaient contre le bruit, surtout aux petites heures du matin. Deux d'entre eux étaient même allés rosser l'officiant une nuit, provoquant ainsi un incident que seule l'intervention rapide des janissaires de garde avait permis de calmer. Deux jours de cachot avaient rétabli la nécessité de la tolérance.

*
* *

Quittant Desbois, Cronberg retourna vers la maison du général pour lui demander comment approcher Sett Nafissa. Même si déranger la plus célèbre des femmes de Mamelouks pouvait paraître futile, il sentait qu'il tenait quelque chose avec cette histoire de parfum. Mais il préférait ne pas se prendre les pieds dans une quelconque manœuvre diplomatique.

La sentinelle qui gardait la maison de Bonaparte le laissa entrer sans rien lui demander et celle qui gardait le bureau se contenta de lui signaler que le général était seul. Cronberg toqua à la porte. Sans attendre de réponse, il s'aventura à pousser le battant et aperçut Bonaparte, assis devant le secrétaire où il rangeait ses papiers, une lettre à la main.

— Mon général ?

Bonaparte se retourna. Il avait l'air bouleversé. Ses yeux, d'habitude traversés par une énergie grisante, paraissaient voilés d'une immense tristesse.

— Sébastien, elle me trompe toujours…

Il lui tendit les feuilles. Sébastien hésita à les prendre : il craignait toujours que Bonaparte ne lui fasse payer ensuite ces moments de confiance et qu'il ne lui en veuille de l'avoir vu en état de faiblesse.

Il prit néanmoins la lettre et jeta un œil dessus.

C'était un rapport de Paris, envoyé par le frère aîné de Bonaparte, Joseph. Le général lui avait demandé avant de partir de surveiller sa femme. Depuis son départ, son inquiétude s'était nourrie de rumeurs qui couraient dans l'armée et qu'il faisait semblant d'ignorer. Junot, un jour, avait gaffé et lui en avait révélé la teneur. Bonaparte était entré dans une fureur noire, avait cassé plusieurs objets, juré qu'il allait divorcer dès que possible et reproché leur silence à tous ceux qui s'étaient tus, rassurant ainsi le pauvre Junot qui se voyait récompensé de son involontaire délation.

Anxieux, le général avait fait mander des nouvelles et venait visiblement de les recevoir.

— Il n'y a pas de doute. Elle me trompe.

Cronberg ne songea même pas à rappeler à Bonaparte que lui-même, depuis son arrivée, ne s'était pas refusé à goûter aux charmes (décevants, disait-il) de quelques Caucasiennes, puis à ceux de la fille du cheik El-Bakri, avant de céder à la belle Pauline Fourès, cette pulpeuse blonde qu'il avait enlevée de la bouche de beaucoup en usant de son privilège de chef. Cette omission n'avait d'ailleurs rien à voir avec la délicatesse : Cronberg, comme son commandant, aurait considéré comme impensable que l'on compare leurs frasques viriles au respect que leur devaient les dames qui s'étaient engagées envers eux.

— Je ne sais pourquoi, mais je l'aime, Sébastien, plus que je ne saurais l'exprimer. J'ai cru que l'argent pouvait me la garder : j'ai acheté son hôtel particulier, j'ai acheté le domaine de Pronette en Belgique. Mais elle continue de voir ses amants. Vous savez qu'elle a failli partir avec nous. Elle est venue avec Eugène et Bourrienne jusqu'à Toulon. Ce salaud de Charles ne l'avait pas suivie, heureusement.

Hippolyte Charles, sémillant hussard, avait été l'amant de Joséphine pendant que Bonaparte était en Italie, et leur liaison, que la jeune femme prenait très au sérieux, avait continué après le retour du général.

— Mais je n'ai pas voulu l'exposer aux dangers d'une rencontre avec les Anglais. Il était prévu qu'elle me rejoigne deux mois plus tard, après avoir pris les eaux. Et elle n'est toujours pas là. Je doute maintenant qu'elle vienne. Imaginez-moi rester coincé dans ce maudit pays, sans la voir pendant si longtemps !

Il tapa soudain du poing sur la table, renversant un encrier dont le contenu se répandit sur le tapis, sans qu'il réagisse.

— Je lui ai écrit encore il y a peu : je voulais qu'elle s'embarque à Naples. Mais je n'ai eu aucune réponse, et aujourd'hui Joseph me dit qu'elle en parle à Barras, qu'elle s'affiche à nouveau avec Charles. Ils sont allés aux Italiens, il la retrouve à Paris, il lui a même offert un petit chien. Et il ne serait pas le seul… Junot et Berthier avaient donc raison, je ne peux plus en douter maintenant… Le voile est levé. Que vaut ma gloire après ça ? Je ne veux pas être la risée de tous les inutiles de Paris.

À la douleur sincère de Bonaparte se mêlait toujours la crainte du ridicule.

Sébastien ne savait plus trop où se mettre. Bonaparte le regarda, tendit la main vers les papiers et, en un instant, redevint le général qu'il admirait.

— Mais je vous ennuie avec ces soucis que vous connaîtrez aussi sans doute un jour… Vous veniez me voir pour quelque chose ?

— Je poursuis cette enquête que vous m'avez confiée sur le cadavre du Diwan et suis une piste qui touche à un parfum trouvé sur le corps de la victime. Je voudrais rencontrer des gens susceptibles de m'éclairer sur le sujet et j'ai pensé à Sett Nafissa. Mais je voulais m'assurer que cette rencontre serait opportune...

— Si elle peut vous être utile, pourquoi ne le serait-elle pas ? Voyez avec Eugène, il en est très proche.

Sébastien s'inclina, remercia et s'apprêtait à sortir quand le général le rappela.

— Sébastien... Ne parlez pas à Eugène de ce que je viens de vous dire. Il n'y a aucune raison que ce garçon paie pour les frasques de sa mère.

Cronberg promit et sortit.

Chapitre 5

Eugène de Beauharnais regarda Cronberg avec un petit sourire fat. Il avait dix-huit ans. Bonaparte l'avait fait venir comme aide de camp dès la campagne d'Italie, et le jeune Eugène vouait une grande admiration à son beau-père. Familier dès son plus jeune âge avec le monde militaire, où son général de père, guillotiné sous la Convention après avoir rendu de distingués services à la Révolution débutante, l'avait fait enrôler, il faisait montre sur le champ de bataille d'un grand courage. Il était beau, de longs cheveux bruns bien taillés tombant sur le haut d'un uniforme qu'il mettait un point d'honneur à maintenir aussi impeccable que possible. Sans doute était-ce pour cela que Bonaparte l'avait chargé des relations avec la très influente Sett Nafissa… Et il ne pouvait s'empêcher, tout en écoutant la requête de Cronberg, de tourner et retourner entre ses doigts avec un rien d'arrogance le beau diamant qu'elle lui avait donné.

— Rencontrer Sett Nafissa ? Cela devrait se faire sans souci, Sébastien. Mais c'est une femme tout à fait remarquable, et je ne voudrais pas que vous la preniez pour une simple courtisane.

— J'en suis bien conscient. Et si je veux lui parler de frivolités, ce sera pour une cause tout à fait sérieuse.

Eugène resta insensible à l'ironie de la phrase et continua son discours.

— Elle dirige mieux ses affaires que ne l'a jamais fait son mari.

Après avoir été l'une des épouses d'Ali Bey, elle avait, à la mort de ce dernier, épousé Mourad Bey.

— Mourad lui fait une entière confiance, et Magallon m'a raconté qu'elle a beaucoup œuvré pour nos commerçants et qu'elle en a sauvé plusieurs des tracasseries des Turcs.

Cronberg savait. Magallon pouvait difficilement tenir une conversation sans raconter ses malheurs ou ceux des commerçants qu'il avait aidés. Et sa femme avait été une grande amie de Sett Nafissa, excellente cliente de sa boutique de passementerie par ailleurs.

— Aujourd'hui que Mourad s'est enfui, c'est elle qui est restée au Caire pour veiller sur ses propriétés et celles de ses amis. Je ne pensais pas, quand le général m'a confié le poste d'ambassadeur auprès d'elle (un regard sur le diamant), que je rencontrerais quelqu'un d'aussi évolué et brillant. Vraiment, cette dame est un régal. N'est-il pas curieux que ce soit dans un pays où on enferme beaucoup de femmes dans des espèces de prisons domestiques que certaines se voient aussi reconnaître tant de pouvoir ?

Ce paradoxe avait effleuré Cronberg sans qu'il s'y attardât. La qualité première des femmes à ses yeux restait leur disponibilité, qu'elles soient en haut ou en bas de l'échelle sociale...

— Si vos questions ne sont pas pour ses oreilles seules, je serai ravi de vous accompagner moi-même auprès d'elle.

— Cela ne pourra que faciliter les choses, bien sûr.

Cronberg s'amusa de la façon dont le jeune homme considérait la grande dame comme sa chose.

Sett Nafissa en imposait d'entrée. Assumant fièrement son âge, elle avait revêtu pour l'occasion une tenue d'apparat turque et se tenait droite dans son salon. Elle tendit à Eugène une main nonchalante et dévisagea le nouveau venu d'un regard acéré. Cronberg s'inclina.

— Vous souhaitez me voir, monsieur ? Est-ce encore lié aux ventes des biens de nos familles ? On me dit que vous avez fait la même chose dans votre France.

— Notre Révolution est un changement profond dans l'ordre du monde. Cela ne peut avoir lieu sans quelques inconvénients.

Sett Nafissa voulait connaître d'emblée le statut de celui qui lui parlait. Son époux avait fui, la laissant seule à gérer ses biens, et elle avait pris dans la communauté cairote un rôle capital d'intermédiaire avec les Français. En juillet, les femmes de Mamelouks avaient été lourdement taxées pour pouvoir garder les propriétés de leurs maris. Elle-même avait dû payer cinq cent mille livres et s'en était prise violemment à Beauharnais qu'elle avait accusé de trahison, allant jusqu'à rendre une montre ornée de diamants offerte par Magallon en échange de ses services.

— Et ces désagréments ne vont pas sans avantages, poursuivit Cronberg. Les femmes se sont vues investies de rôles beaucoup plus importants qu'auparavant, et vous-même ne seriez pas dans cette position sans nos acquis.

— Ne vous méprenez pas, monsieur. Nous ne vous avons pas attendus pour trouver notre place et ces harems qui vous font tant sourire sont aussi des lieux où le pouvoir des femmes est bien assis, je vous assure.

L'expression amusa Cronberg, qui repensa à l'une des femmes du cheik El-Bakri peinant à se lever, tant ses fesses énormes l'entraînaient en arrière.

— Vous pouvez signaler à votre général que les commissions d'inventaire ont parfois tendance à surévaluer nos biens. Je me bats régulièrement avec elles, et tiens M. de Beauharnais...

Eugène s'inclina.

— ... au courant de nos difficultés. Mais deux voix valent mieux qu'une.

Elle s'assit et fit signe à ses invités de faire de même. Une servante apparut aussitôt, portant deux verres remplis d'une boisson rouge.

— De l'hibiscus. Je suppose que vous en avez déjà bu, monsieur Cronberg. C'est extrêmement rafraîchissant.

Cronberg trempa ses lèvres dans le breuvage, qu'il avait en effet eu l'occasion d'apprécier par le passé.

— Vous n'ignorez pas non plus que le pillage de nos maisons continue, malgré les scellés que votre armée a fait mettre. Scellés dont je saluerais l'existence s'il n'était pas évident que beaucoup de vos soldats sont les premiers à ne pas les respecter, ouvrant ainsi la voie aux voleurs égyptiens...

Cronberg reposa son verre.

— Je suis au courant de ces soucis, qui accompagnent souvent les armées victorieuses.

Sett Nafissa ne releva pas le terme et attendit la suite, comprenant que ce sujet-là était clos.

— Figurez-vous, madame, que ce n'est pas la chargée d'affaires que je suis venu voir, mais l'arbitre des élégances...

— Vous, un Parisien ? Mais vous me faites un honneur extrême et me rendez à une féminité que les soucis de ma charge me font trop souvent ignorer...

— Ne croyez pas, madame, que ce Paris que vous révérez tant soit un lieu où la beauté des femmes est à ce point évidente.

Nafissa sourit, redonnant son avantage à Cronberg.

— Vous voulez ouvrir un magasin, monsieur ?

Il sourit à son tour.

— Ou cela a-t-il un rapport avec ce meurtre du Diwan dont tout le monde parle ? On dit que vous êtes l'enquêteur préféré de votre général...

— Je vois que vous êtes bien informée et ne vous ferai pas, madame, l'affront de vous croire plus bête que vous n'êtes. Je vous demanderai de ne faire part à personne ni de cette conversation ni de mes interrogations, et de m'excuser par avance des mystères qu'elle véhiculera. Pourriez-vous déterminer qui aurait pu utiliser ce parfum ?

Il lui tendit le morceau de tissu, tout en s'excusant de son état. Nafissa, surprise, s'en empara du bout des doigts puis l'approcha de son visage avec un peu de dégoût.

— Moi, sans doute, et la plupart des femmes que je fréquente. Pourquoi ?

— Vous en aimez particulièrement l'odeur ?

— Je la trouve trop forte. Mais d'autres n'ont pas la même réserve, et ce parfum a été à la mode il y a, je dirais, deux ou trois saisons de là. On le sent moins de nos jours.

— Et vous vous le procuriez où ?

— Dans les parfumeries… Je ne vois pas bien où vous voulez en venir. Cette odeur n'a rien de secret ni de très particulier. Elle est juste un peu passée de mode mais, à l'époque, tous les parfumeurs s'en sont procurés ou l'ont fabriquée eux-mêmes…

— Et elle n'a jamais été utilisée à d'autres fins qu'esthétiques ?

— Pas que je sache, non. Mais, vous savez, un parfum est souvent choisi autant pour ce qu'il dégage que pour ce qu'il est susceptible de cacher. J'ai cru comprendre que la cour de Versailles – que vous avez détruite – en utilisait pour masquer le manque d'hygiène de vos grandes dames. Et on dit même que votre armée a refusé cette hypocrisie, sans pour autant se laver avec plus d'ardeur.

Elle se leva. L'entrevue était terminée, et Cronberg savait qu'il n'y pouvait rien changer, même s'il était du camp des vainqueurs.

— Je vous remercie, madame. Vous m'avez aidé plus que vous ne le pensez.

Il s'inclina.

— Votre parfum d'aujourd'hui vous convient à merveille, lui souffla-t-il en partant, la gratifiant de son plus beau sourire.

Elle sourit à sa fatuité, en coquette qui en avait vu bien d'autres.

Ce n'est qu'une fois dehors, assis dans la voiture avec Beauharnais, qu'il parut à nouveau tout excité…

— Vite, au Diwan, cria-t-il.

Beauharnais, qui avait l'intention d'aller ailleurs, ne pipa mot.

À peine arrivé, Sébastien se précipita dans la pièce où le corps avait été déposé et hurla aussitôt.

Il n'y était plus.

*

* *

Il courut vers le soldat à l'entrée du Diwan.

— Où est passé le cadavre qui était là ?

— Il faisait chaud. Le docteur est venu, et il a dit qu'il valait mieux le faire transporter ailleurs. C'était un ordre du général, qu'il a dit.

— Mais où ? Le faire transporter où ?

— Je ne sais pas, moi. Dans un endroit plus froid ?

— Lequel, morbleu, lequel ?

Le soldat le regardait avec un air à la fois stupide et effrayé, et Cronberg sentit bien qu'il n'y avait rien à en tirer.

— Et de quel docteur s'agissait-il ?

— Il ne m'a pas dit son nom. Mais c'est celui qu'on voit souvent, le gros frisé.

— Desgenettes ?

— Peut-être, oui, je ne sais pas. Il ne m'a pas dit son nom.

— Mais si, Desgenettes, c'est lui. Si quelqu'un revient, demandez qu'on ne touche à rien. Vous m'entendez, à rien. Même si c'est un ordre du général. C'est clair ? Même du général ?

Le soldat, éberlué, balbutia que, oui, il avait compris.

Cronberg redescendit dans la rue. Le fiacre l'attendait toujours et il cria au conducteur :

— Allez à l'Institut, vite...

De plus en plus surpris, Beauharnais tenta de lui demander ce qui se passait.

— Il faut nous dépêcher. Si ce que je crois est vrai, alors le temps presse. Vous venez ou vous restez ?

Eugène sauta dans la voiture. Mettant la tête à la portière, Sébastien se mit à crier pour qu'on lui fasse place. Les rues étaient bondées, et les cochers français peinaient encore à se retrouver dans le dédale de la ville, n'ayant guère que deux repères : la citadelle, qui dominait la cité, et la place Ezbekiyya. Entre les deux, ils avaient l'impression que toutes les rues se ressemblaient, et les noms écrits en arabe ne les aidaient guère...

— Prenez la rue Dupetit-Thouars, nom de Dieu, mais dépêchez-vous !

Longeant le canal et changeant de nom à chaque carrefour, la rue Dupetit-Thouars avait été rebaptisée ainsi par les Français. Dès qu'il l'eut rejointe, le cocher sembla mieux se retrouver...

Enfin le fiacre s'arrêta. Cronberg sauta à terre, se rua dans le jardin de l'Institut et entra dans le capharnaüm qui servait de salle de réception : momies, sarcophages, urnes et bandelettes s'y entassaient, apportés par les savants enthousiastes en attendant d'être examinés. Dans un bocal de formol, un gros crapaud l'observait.

— Jomard, vous me faites chier avec vos compas qui traînent. Vous les rangez ou je les fous dans le Nil ! criait Jollois.

Le géographe avait le don de se rendre antipathique, et son désordre ne faisait qu'accentuer l'acrimonie des autres.

— Desgenettes ? Desgenettes est-il là ? cria Cronberg, interrompant la dispute.

— Il est avec Conté, dans la grande salle du premier.

— Dieu soit loué !

Plusieurs des savants de l'expédition étaient présents dans la pièce où s'amassaient déjà des croquis. Conté et Desgenettes regardaient un projet de baromètre que le fertile ingénieur tentait de mettre au point.

— Docteur, vous êtes là !

L'agitation de Cronberg troubla tout le monde. Il était suant, rouge, et tranchait fortement au milieu d'une assemblée plus paisible.

— Comme vous pouvez le voir ! Remettez-vous, mon ami.

Desgenettes cachait sous un physique inoffensif une grande force de caractère, et sa façon de rembarrer les uns et les autres, jusqu'aux plus hauts gradés de l'armée, suscitait autant d'admiration que d'irritation.

Cronberg reprit son souffle.

— Le corps du Diwan ? C'est vous qui l'avez pris ?

— Oui, le général me l'a demandé. Sa mise en scène n'avait plus de sens. Et avec cette chaleur...

— Et qu'en avez-vous fait ?

— Je l'ai mis dans l'endroit le plus frais que nous ayons pu trouver. Il ne souhaitait pas que nous l'enterrions tout de suite...

— C'est-à-dire ? Où ça ?

— Un entrepôt, au bord du Nil. Il est à l'ombre et près de l'eau, mais ça reste très insuffisant.

— Il faut que nous y allions. Venez avec moi.

Ce ton comminatoire déplut à Desgenettes.

— Vous avez sans doute noté que je suis occupé.

— Et vous avez sans doute noté que c'est au nom du général que je vous fais cette demande...

Cronberg sentit qu'il avait gaffé. L'autoritarisme de Bonaparte fatiguait les savants, et sa rivalité avec eux se faisait jour. Il fit marche arrière.

— Excusez-moi, docteur, mais il y a urgence. Si j'ai raison, il faudrait examiner ce corps au plus vite. Je vous en prie.

Desgenettes tapa sur l'épaule de Conté.

— Cher ami, nous reprendrons cette expérience plus tard. J'ai l'impression que l'on m'attend.

Et, prenant volontairement son temps, il mit son manteau et suivit Cronberg.

Ce n'est qu'une fois dans la voiture, où Eugène les avait attendus, que Cronberg s'expliqua.

— J'ai prélevé sur le corps du Diwan du tissu qui sentait très fort le parfum et j'ai passé la journée à essayer de trouver d'où il venait...

Desgenettes écoutait, l'air de se demander ce qu'il faisait là, essayant surtout d'éviter que les cahots de la voiture ne l'envoient sur les genoux de Beauharnais.

— Cette quête m'a amené chez Sett Nafissa, ce dont je suis très redevable à M. de Beauharnais.

Eugène sourit, puis grimaça, ayant pris le coude de Desgenettes dans les côtes.

— Et elle m'a dit une phrase qui m'a soudain fait penser à quelque chose. Que les parfums étaient souvent autant là pour dissimuler que pour être remarqués...

— Oui ?

Desgenettes ne voyait toujours pas où son interlocuteur voulait en venir.

— Avez-vous examiné le corps ?

— Rapidement. La cause de la mort paraissait indiscutable, et vous aviez déjà vous-même recherché les indices...

— Oui. Mais si ce parfum n'était là que pour cacher quelque chose ?

— Cacher quoi ?

— Une autre odeur...

— L'odeur de quoi... ?

Soudain, Desgenettes comprit.

— L'odeur d'une maladie, vous voulez dire ?

— Exactement. Si on avait mis du parfum justement pour que le corps ne soit pas évacué trop vite ?

— Et que l'on ait voulu ainsi contaminer le Diwan ?

— C'est ça. Cette hypothèse vous paraît stupide ?

— Pas du tout, au contraire.

Et c'est Desgenettes, inquiet, qui mit la tête hors du fiacre pour intimer au cocher de se presser.

*

* *

Ils furent en moins d'un quart d'heure près de l'entrepôt. Il avait fallu gagner le sud de la ville, et les maisons étaient devenues de simples cubes de brique crue, bâtis autour d'une cour dans laquelle s'entassaient des douzaines de gens. Beaucoup de ces cabanes se pressaient au bord du Nil et il s'en échappait souvent une odeur terrible. Beauharnais tenta de suivre ses deux compagnons, qui avaient jailli du fiacre à peine arrêté, s'empêtra dans les roseaux et la boue et pesta, faisant s'envoler quelques aigrettes. Le soldat qui somnolait devant la cabane se figea en les entendant arriver. Cronberg reconnut le sergent Babour, un vieux routier d'Italie.

— Personne n'est venu ? demanda le docteur.

— Non, monsieur.

Ils entrèrent. Il faisait effectivement beaucoup plus frais à l'intérieur. À travers les planches, on voyait clapoter l'eau. Le corps était enveloppé dans un drap, au-dessus d'une vieille couverture.

— Je vais devoir l'examiner.

— Voulez-vous le faire ici ?

— Je crois que cela sera plus prudent que de le ramener à l'Institut.

Desgenettes s'agenouilla près du cadavre et le renifla.

— Ce parfum est effectivement entêtant : je ne sens guère que lui. J'espère que vous avez tort, Sébastien, mais je n'en jurerais pas.

Doucement, le médecin entreprit de dévêtir le mort. Il lui ôta sa chemise, couverte de sang séché. L'homme nu avait un corps musclé, marqué par la circoncision.

Puis il l'inspecta, souleva un de ses bras, regarda sous l'aisselle et pâlit.

— Là, dit-il.

Il montra à Cronberg une petite tache marron, trace d'un bubon.

— Vous aviez raison, Sébastien.

— Et c'est quoi ? demanda le jeune homme, qui connaissait déjà la réponse.

— La pire chose sans doute qui pouvait nous arriver ! La peste...

Chapitre 6

Bonaparte avait immédiatement reçu Cronberg, qui venait de lui exposer sa découverte.

— Mais qu'est-ce que cela veut dire ? Que quelqu'un a essayé de contaminer le Diwan en y amenant un corps et en dissimulant son odeur ? C'est extravagant. Et n'y a-t-il pas des moyens beaucoup plus évidents d'inoculer la peste que cette mise en scène absurde ? D'autant plus que, si je ne m'abuse, elle est déjà présente dans ce pays !

— Si l'on veut simplement inoculer la peste, oui, mon général. Mais pas si on veut seulement faire peur... Ceux qui ont commis ce crime devaient bien se douter que nous allions déjouer leur ruse. Nous l'avons peut-être fait un peu plus tôt que prévu, mais c'est tout...

— Et ils souhaitaient donc que nous sachions qui était visé ?

— Je le crains...

— Leur but était-il de terroriser le Diwan ?

Cronberg n'eut même pas besoin de répondre.

Le poing du général s'abattit sur son bureau, et sa voix monta d'un ton.

— Nous voilà confrontés à quelques imbéciles qui ne comprennent pas mes intentions.

Cronberg resta coi.

— Qui ne voient pas que je tente de me rapprocher de ce peuple et de sa culture, que je suis venu en ami et non en chef de guerre, que je demande l'union, et non le massacre.

Sa voix redevint froide.

— Et ils veulent la guerre. Vous savez comment Alexandre a soumis ce pays, Sébastien ? Par la terreur. Si c'est ce que ces gens-là veulent, ils l'auront, croyez-moi. Ils l'auront.

Puis il se rassit et laissa ses mots résonner dans le silence. Il aimait de plus en plus à croire qu'il prononçait à longueur de temps des phrases historiques.

— Concrètement, que proposez-vous maintenant ?

— Je vais demander à un des artistes que vous avez amenés de bien vouloir faire un dessin le plus précis possible du corps, afin de l'identifier. Puis nous le brûlerons, comme tout le mobilier du Diwan.

— Demandez à Denon, il a un bon coup de crayon… D'accord, Sébastien, continuez. Et arrangez-vous pour que cela ne vienne pas gâcher notre petite fête.

Cronberg avait complètement oublié la fête de la République, qui devait commencer deux jours plus tard, le 22 septembre.

*

* *

— Ah, ça pue, c'est horrible.

Vivant Denon mit un mouchoir devant son nez et réprima un hoquet. Le corps était encore nu, et le mélange des odeurs de parfum et de décomposition était pénible. Des mouches commençaient à tourner autour, malgré la relative fraîcheur de l'entrepôt. Cronberg se retint de dire à Denon que le cadavre était mort de la peste, ce que ce dernier lui reprocha beaucoup par la suite.

— Cet homme a été assassiné, lui expliqua-t-il, et le général voudrait que vous en fassiez des dessins aussi précis que possible : un du corps, un de la tête, et puis de tous les détails qui vous semblent inhabituels ou significatifs et permettraient de l'identifier...

— On m'a déjà confié des tâches plus agréables. J'étais venu pour dessiner des statues et des peintures, pas des corps en putréfaction. Si Joséphine...

— N'exagérez pas, Dominique. Et le général vous en saura gré. Quand il faudra aller vers les grands temples du Sud, vous aurez marqué des points.

L'équipe des artistes, bloquée au Caire, piaffait à l'idée de ne pas pouvoir s'atteler à la découverte des nombreuses merveilles dépeintes par les voyageurs qu'ils avaient tous lus et relus. Mais même Denon, à qui son amitié avec Joséphine avait permis d'être nommé à la tête des savants de l'expédition, n'arrivait pas à partir.

Un bruit de vomissement fit tourner la tête aux deux hommes. Un tout jeune homme, aux traits presque féminins, les regardait, confus, les restes de son déjeuner répandus à ses pieds.

— Je suis désolé, c'est cette odeur...

— Qu'est-ce que vous faites là, Jean-Charles ? demanda Cronberg, irrité.

— Je suis venu avec Dominique, mais...

Un nouveau spasme tordit le jeune homme en deux.

— Si vous ne supportez pas ce spectacle, allez nous attendre dehors.

Jean-Charles Seydoux était l'un des plus jeunes savants de l'expédition. Il avait eu dix-sept ans pendant la traversée. Passionné par la géologie, il était venu avec Dolomieu, baron de son état, qui l'avait comme élève à l'École des mines et, sentant l'enthousiasme du jeune homme, avait décidé qu'un factotum lui serait fort utile. Depuis, fasciné par tout ce qu'il voyait, Seydoux passait de groupe en groupe, multipliant les expériences avec un air de ravi de la crèche qui amusait beaucoup ses congénères. Du moins tant qu'il ne perturbait pas leur tâche, ce qu'il était en ce moment en train de faire. Il sortit.

Rapidement, le dégoût s'effaça des traits un peu massifs de Denon, qui avait le coup de crayon rapide et juste. Il croqua l'homme, puis fit deux gros plans du visage. Il y avait également un signe sur sa poitrine, un petit tatouage au-dessus du sein gauche.

— Dessinez aussi cela, Dominique. Cela peut servir à repérer notre homme.

Denon prit en croquis le tatouage, lui consacrant une page entière.

Cronberg retourna le corps, mais n'y trouva aucune autre trace susceptible de lui fournir une piste. L'odeur qui s'en dégageait devenait de plus en plus insistante.

— Vous pensez que nous n'en tirerons plus rien ?

— Pour ce qui est des signes extérieurs, en tout cas, à coup sûr...

— Bon. Il ne me reste plus qu'à vous remercier d'avoir pris de votre temps pour m'aider.

Denon commença à ranger ses fusains.

— Vous allez à la fête demain ? demanda Cronberg.

— Sans doute. Les distractions de cette ville sinistre sont suffisamment rares pour que nous n'en dédaignions aucune…

Auteur en son temps d'un roman libertin à succès, *Point de lendemain*, Denon était un grand amateur de femmes et pestait volontiers contre la pauvreté des occasions au Caire.

— Et vous, Jean-Charles ?

Le jeune garçon était toujours décomposé, mais il s'arracha un sourire pathétique.

Cronberg le raccompagna jusqu'à la porte, puis il revint dans la salle et appela le sergent qui la gardait.

— Il faut que ce corps soit très vite sorti de là et brûlé. Il faut aussi que cette opération reste secrète.

Le sergent Babour n'avait jamais été très vif, mais était d'une fidélité à toute épreuve. Cronberg savait que, s'il lui demandait le silence, il l'aurait. Il était ensuite convenu avec Desgenettes, une fois le corps évacué, de faire désinfecter le Diwan.

Et il savait qu'il y avait urgence.

Il reprit le fiacre et retourna rapidement voir le médecin.

— Vous avez fait ce qu'il fallait ? s'enquit Desgenettes.

— J'ai demandé à ce que le corps soit discrètement brûlé. Nous avons relevé tout ce qui pouvait l'être. Denon m'a laissé les dessins. Regardez si quelque chose vous paraît familier.

Desgenettes jeta un œil sur les croquis.

— Non, je n'y vois rien de très concluant. Rien en tout cas que je n'aie pas noté moi-même en l'examinant tout à l'heure.

— Même pas ce tatouage, qu'il avait sur la poitrine ?

— Je n'y avais pas fait attention. Mais je ne vois pas très bien ce qu'il veut dire, non. Je ne voudrais pas vous empêcher de jouer les policiers, mais cela me semble être le cadet de nos soucis. Le plus important est d'enrayer la propagation de cette maudite maladie. Je vous ai laissé un peu de temps pour faire vos croquis, maintenant il faut passer à l'action. J'ai réuni des Arabes de confiance, qui ignorent ce qu'ils vont faire, pour arroser le Diwan de poudres fumigatoires.

— Vous croyez que cela marchera ? À Marseille, ça n'a pas fait grand-chose.

— Ça ne peut pas faire de mal, en tout cas. Avec du soufre, on peut espérer quelques succès. Il faut aussi que je voie s'il y a de quoi fabriquer de l'eau impériale... C'est toujours mieux que la procession de flagellants...

— Sans doute. C'est votre domaine, je vous laisse faire.

— Si cela persiste, il faudra recourir à la quarantaine. Mais dans le désordre dans lequel vit notre armée, ce sera à la fois très impopulaire et très difficile à mettre en œuvre. Denon n'a pas vu le bubon ?

— Non.

— Tant mieux. Moins de gens seront au courant, moins il y aura de risques de panique...

Épuisé et inquiet, Cronberg retourna se coucher. Il ne trouva que difficilement le sommeil et fut envahi d'images de la ville jonchée de cadavres.

*

* *

Dès son réveil, il examina à nouveau le dessin, mais n'arriva toujours pas à savoir ce qu'il pouvait bien signifier. Qui pourrait le renseigner ? Devait-il retourner voir Sett Nafissa ? Non, sans doute pas. Ou aller chez le cheik El-Bakri, le seul des membres du Diwan dont il se soit un peu rapproché ? Mais si le cheik voyait le dessin, ne pouvait-il pas se douter de quelque chose, et au contraire lui raconter des mensonges ou lui mettre des bâtons dans les roues ?

Il aimait bien Bakri. L'homme était parfaitement hypocrite, à la fois musulman affiché et joyeux drille, mais en quoi différait-il de tous les notables catholiques que Cronberg avait vus en Italie ? Amené à le rencontrer pour organiser le Diwan, Cronberg s'était pris pour lui d'une certaine sympathie.

Comme la plupart des riches Cairotes, El-Bakri vivait à Ezbekiyya, dans le quartier que les Français avaient investi. Son palais était composé de plusieurs ensembles regroupés autour d'une cour centrale. Il y avait des pièces de réception au rez-de-chaussée, des pièces privées au premier étage. Des latrines étaient disposées dans chacune de ses parties. Il était entouré de jardins à l'ombre épaisse, éclairés dès la tombée du jour de multiples flambeaux. De la terrasse, on voyait les splendides mausolées du cimetière appelé « cité des Morts » et, un peu plus loin, l'ombre de la colline du Moqattam.

Le soir commençait à tomber. Tout paraissait assoupi dans la maison du cheik. Quand Cronberg entra, il entendit un bruit sourd dans une cabane à côté de la porte et aperçut la tête du vieux domestique de la maison qu'il réveillait. Il tenta d'expliquer au vieillard que ce n'était pas la peine de se lever, mais n'y parvint pas et se fit précéder par lui, pénétré d'un vague remords. Le vieil homme lui ouvrit la porte du palais et se retira.

El-Bakri n'était pas là. Mais un homme, debout dans la pièce, lisait un gros livre, ouvert devant lui sur un lutrin. Il était jeune, vêtu d'une simple gallabieh blanche et parla tout de suite dans un français marqué d'un léger accent.

— Sébastien ! C'est gentil à vous de venir nous voir.

Lotfi était le fils d'El-Bakri. Il avait – destin assez unique dans la colonie égyptienne – eu la possibilité de passer deux ans en France pour y suivre les cours de l'École de santé tout juste créée. C'était Magallon qui avait pu profiter de ses liens avec les deux pays pour aboutir à cet heureux résultat. Lotfi était arrivé en 1795 à Paris. L'école accueillait des « élèves de la patrie », et il avait fallu tout l'entregent du consul pour qu'y soit admis ce moricaud dont le nom faisait rire les autres élèves. Lotfi avait vite compris qu'il lui faudrait s'imposer et y était arrivé de deux manières : l'une en faisant usage de ses poings contre tous ceux que son nom amusait exagérément, l'autre en se lançant à corps perdu dans les études. Il s'était formé à l'anatomie, la chimie, l'histoire naturelle, puis à la médecine opératoire et à l'histoire de la médecine. Après une année de formation supplémentaire avec Corvisart à l'hôpital de la Charité, il était rentré en Égypte en mars 1798, désireux de mettre en application tout ce qu'il avait appris. Trois mois plus tard, Bonaparte débarquait à Alexandrie.

— Vous veniez voir mon père ? Vous ne vous préparez pas à fêter la République ?

Cronberg sourit.

— Pas vous ?

— Ce n'est pas mon pays, ce n'est pas ma fête. J'étais plongé dans quelque chose de plus proche de ma culture. Regardez.

Il invita Cronberg à s'approcher. Les pages du livre étaient couvertes d'une écriture arabe. La reliure, en peau de mouton, était abîmée par endroits.

— C'est un vieil Alcoran, retrouvé dans un petit village des montagnes du Sinaï où je suis allé il y a trois mois. Je ne sais de quand il date. N'est-il pas merveilleux ?

Cronberg tendit la main vers le livre, dont il caressa la peau.

— Il est très beau, en effet...

— Je vais vous apprendre votre premier mot d'arabe écrit, le plus important de tous. Là, ces deux lettres, c'est le nom de Dieu, « Allah ». Le livre commence par l'énumération de ses quatre-vingt-dix-neuf noms.

S'il parlait quelques mots d'arabe, Cronberg avait plus de mal devant cette graphie étrange dont il reconnaissait pourtant l'élégance. Il identifia le signe et se souvint soudain avoir déjà vu cette longue suite.

— On le voit beaucoup dans les mosquées, dit-il, se rendant compte aussitôt de la bêtise qu'il disait et appréciant plus qu'il ne s'en offusqua le sourire gentiment moqueur que cela fit naître sur les lèvres de son hôte.

— Vous êtes très observateur, c'est vrai...

Cronberg se rapprocha du livre.

— Je crois que votre religion interdit les images ?

— Pas de façon aussi directe. Il y a deux choses essentielles dans nos textes : l'Alcoran d'abord, qui a été dicté à Mahomet par Dieu et dont on ne peut bien sûr pas changer une ligne, et puis les hadiths. Ce sont des commentaires faits par les saints hommes de notre religion sur les paroles et les actes du Prophète et de ses compagnons. Certains se contredisent. Ce sont eux qui ont mis en avant le danger de l'idolâtrie et s'opposent à la représentation directe des hommes et des animaux. Mais c'est l'idolâtrie qui est mise en cause, pas l'image. D'autres hadiths estiment que le fait de représenter un être vivant ne peut être qu'une pâle copie de Dieu et de son œuvre. Mais il n'y a rien de ce genre dans l'Alcoran. Il y a deux ou trois cents ans, les représentations du Prophète étaient courantes. Elles le sont moins aujourd'hui, c'est peut-être dommage. Cette suspicion a quand même permis que se développe cette merveilleuse technique qu'est la calligraphie. Regardez, cela est superbe.

Et Lotfi tourna les pages, montrant du doigt les plus belles pages du livre. Le sujet n'était pas totalement inconnu à Cronberg, qui avait beaucoup goûté pendant la traversée les cours presque magistraux que leur donnait Venture, mais il n'avait jamais encore compris à quel point le livre était vivant dans le cœur de ceux qui y croyaient.

El-Bakri entra à ce moment-là.

— Sébastien ! Je vois que mon fils vous fait la leçon. Je me demande si l'envoyer en France était finalement une si bonne idée que ça...

On sentait la fierté du vieil homme pour son enfant, lui qui n'avait par ailleurs eu que des filles dont il était infiniment moins porté à se prévaloir. Il ouvrit immédiatement les bras à Sébastien, qui vit plus qu'un simple geste politique dans cette chaleur. La conversation démarra alors que deux servantes s'affairaient à préparer une infusion pour les trois hommes, infusion que le cheik accompagna d'une solide rasade d'eau-de-vie. Très vite, elle s'orienta vers le cadavre du Diwan.

— Je ne sais ce qu'il faut voir dans cette mort, ni dans l'endroit où elle a eu lieu. Ce Diwan est une institution qui célèbre on ne peut mieux l'union entre nos deux peuples.

Le cheik sirota son infusion. Lotfi, qui s'était assis, restait silencieux en présence de son père.

— Vous savez, Sébastien, nous sommes plusieurs à vous avoir vu arriver avec joie et à avoir applaudi quand votre bouillant général a déclaré, comment dites-vous… « biens nationaux »… les richesses des Mamelouks. Cette astuce administrative, qui permet de s'emparer des possessions de toute une génération, est des plus réjouissantes. Nous n'avons, pauvres chefs de guerre que nous sommes, que le pillage pour nous assurer pareils résultats.

Le terme de « chef de guerre » fit sourire Cronberg, qui aurait bien aimé voir le rondouillet El-Bakri à cheval.

— Mais vous appuyer est un choix que tous ne sont pas prêts à faire. Comme tous les occupants, vous avez tendance à vous leurrer sur la joie que cause votre présence. Notre Diwan n'est pas populaire partout, et je sais que l'on nous reproche notre promiscuité. Ce n'est que le peuple qui parle, me direz-vous, et qui s'en soucie ? Mais peut-être devrions-nous y faire plus attention…

— Notre général est très clairement en faveur de l'islam et de l'Alcoran. Ses déclarations le prouvent.

— Ses déclarations ? Allons, Sébastien, vous êtes trop intelligent pour croire à leur réel impact. Vous avez voulu vous placer au-dessus des religions et dénigrer jusqu'à la vôtre. Mais vous n'êtes nulle part en réalité : vous ne citez pas assez l'Alcoran pour être de notre côté et vous négligez vos propres mystères. Être d'accord avec toutes les religions, c'est n'être d'accord avec aucune : il faut choisir, Sébastien. Vous pensez que naviguer au-dessus de la mêlée suffira. Pas avec nous, mon ami, pas avec nous. Quand vous vous en prenez à votre pape, vous prouvez surtout que vous n'avez pas de respect pour les religions et nous sommes plus sensibles à ce rejet qu'aux rapprochements que vous tentez d'effectuer.

Cronberg se souvint de la fête du Prophète. Bonaparte avait été invité chez le cheik El-Sadat, l'un des membres du Diwan. Le souper avait été aussi somptueux qu'interminable. Quand fut enfin servi un café très fort, Bonaparte avait conseillé à ses hôtes de continuer, comme au temps des califes, à encourager les arts et les sciences. El-Sadat avait pris la parole et rappelé que l'Alcoran pourvoyait à tout, et que tout ce qu'il fallait savoir était dedans. Se croyant malin, Bonaparte avait rétorqué : « Apprend-il aussi à fondre des canons ? », et tous les musulmans en face de lui avaient répondu « Oui », laissant le « sultan El-Kebir » pour le moins perplexe.

Tout en parlant, El-Bakri roulait entre ses doigts une boulette qu'il posa sur un narghilé.

— Mais nous voilà bien sérieux... Ne voulez-vous pas goûter à cette pipe ?

Cronberg avait découvert assez vite cette plante que fumaient les Égyptiens et qu'ils appelaient haschich. La première fois, c'était avec Jollois, un jeune mathématicien tellement passionné par son art qu'il gribouillait des équations sur toutes les surfaces planes qu'il croisait. Un des soldats qui gardaient l'Institut en avait ramené, leur jurant qu'il n'avait jamais rien ressenti de semblable. « C'est comme un rêve, monsieur, comme un foutu gros rêve où tout est parfait. » Cronberg et Jollois avaient essayé. Au début, cela ne leur avait fait aucun effet. Et puis petit à petit ils s'étaient sentis emportés sur un nuage, comme s'ils voguaient, pris de rêveries étranges et de crises de fou rire injustifiées. Cronberg était depuis devenu un adepte de la chose. Seul Kléber était resté perplexe.

— Vous croyez qu'avec cette saloperie nos soldats seront aussi performants ?

— Compte tenu de ce que j'ai vu de la guerre, peut-être l'oublier un peu leur permettra-t-il d'encore mieux la faire, avait répondu Sébastien.

Le vieux routard avait peu apprécié cette réponse.

Sébastien tira sur la pipe, fit longuement descendre la fumée dans ses poumons avant de la recracher. Il sentit l'engourdissement qui montait, regarda le gros Arabe qui était allongé non loin de lui et s'aperçut que l'autre aussi le regardait en coin. El-Bakri était sûrement l'un des membres du Diwan les plus opportunistes, mais c'était aussi celui qui affichait le plus clairement sa position, quitte à savoir combien elle était fragile.

— Vous préparez-vous pour cette fête de la République, mon cher Sébastien ?

— Comme tout le monde. Vous y serez ?

— Bien sûr. Je n'envisage pas l'occupation sans fêtes, et votre général en a déjà fort habilement remis deux au goût du jour.

Cronberg se sentit s'assoupir. Il voguait au loin, porté par le haschich.

Le silence s'installa. Lotfi se leva et salua les deux amis. Sébastien le vit partir avec regret. El-Bakri remit une boulette à grésiller sur le narghilé. Puis il parut prendre sur lui.

— J'ai un grand service à vous demander, Sébastien.

Cronberg, qui se sentait ailleurs, comprit qu'il devait retrouver sa lucidité.

— Si c'est en mon pouvoir, vous savez d'entrée la réponse.

— Vous connaissez ma fille ?

— Zaynab ?

— Oui, Zaynab.

Cronberg ne savait plus très bien comment continuer.

— Je l'ai rencontrée quand... Enfin à l'époque où...

— À l'époque, très courte, où elle a été la maîtresse de votre général. Ayons peur des choses, Sébastien, pas des mots...

— D'accord. Je l'ai effectivement croisée une ou deux fois pendant cette courte période, puis j'ai appris qu'elle avait perdu les faveurs qu'elle avait si vite conquises...

— Et que Bonaparte ne souhaitait plus la voir. C'est effectivement cela.

Quand les Français étaient arrivés et que l'absence de femmes se faisait sentir depuis déjà des mois, tous étaient partis à la chasse aux prostituées puis aux concubines. La plupart des généraux avaient ramené chez eux des esclaves volées chez Mourad Bey ou Ibrahim Bey. Le directeur des Ponts et Chaussées avait même acheté une Caucasienne importée de Constantinople pour le prix colossal de 3 600 livres. Bonaparte avait « reçu » quelques esclaves circassiennes, puis avait estimé qu'il serait plus habile de joindre l'utile à l'agréable en nouant quelque alliance diplomatique. Il avait jeté son dévolu sur la fille d'El-Bakri, Zaynab. Son père avait accepté. Cela n'avait duré que quelques jours et Bonaparte avait renvoyé la jeune femme chez elle. « Elle est trop grosse et elle se parfume trop », avait-il expliqué à Cronberg qui, prudent, n'avait pas demandé plus d'explications. Depuis, Pauline Fourès avait pris la place officielle de maîtresse du grand homme, qui ne répugnait pas pour autant à profiter de temps en temps d'une esclave ou d'une servante.

— Vous y aviez consenti...

— Ce n'est qu'une fille, et elle pouvait ainsi procurer à notre famille bien des avantages, ce qui est en quelque sorte son rôle. Mais je ne pensais pas que le général la renverrait si vite.

— Et...

— Et ce rejet nuit à sa réputation, et par contrecoup à la nôtre. Elle est maintenant marquée pour les Arabes, et objet de moquerie pour les Français. Je ne veux pas me retrouver avec une fille ainsi stigmatisée sur les bras. Si vous pouviez vous montrer avec elle, l'emmener aux pyramides par exemple, cela prouverait qu'elle est à nouveau dans le jeu. Et vous me rendriez un distingué service...

Cronberg ne vit pas comment refuser. La mission lui semblait pourtant une redoutable corvée, du moins s'il fallait croire ce que Bonaparte disait de la jeune femme. Cela ne rejoignait hélas que trop ce qu'il avait déjà vu des femmes égyptiennes.

— Ce sera un plaisir, affirma-t-il à El-Bakri qui n'en crut pas un mot mais s'en moqua.

*

* *

Cronberg rentra chez lui. Dans la rue, il vit un attroupement et s'approcha. La foule s'écarta, lui laissant entrevoir quatre corps soigneusement décapités. Les soldats qui s'en étaient chargés avaient encore à la main leurs sabres sanglants. Bonaparte avait promis de faire couper cinq ou six têtes par jour, pour calmer les rebelles éventuels, et il s'y employait avec constance. Cronberg regarda les cadavres, un peu indifférent. Il était fatigué, et puis n'était-ce pas la loi de la guerre ? Mais il ne put manquer de sentir l'hostilité muette de la foule.

Chapitre 7

La fête de la République débutait ce jour-là. Après s'être assoupi, Cronberg fut réveillé par les trois salves d'artillerie annonçant au lever du soleil le début des cérémonies. Il grommela, remit sa tête sous l'oreiller et se rendormit une petite heure. Quand il émergea à nouveau, les vapeurs du haschich n'étaient pas encore totalement dissipées. En pestant un peu, il regarda dans son armoire et constata l'état poussiéreux de son plus bel habit, puis s'aperçut que des mites y avaient fait un trou. Il entreprit de le recoudre, activité qu'il abandonna assez vite en râlant, espérant que personne ne remarquerait le trou.

Il débarqua sur la place Ezbekiyya. Depuis des jours déjà charpentiers et menuisers s'affairaient. Aujourd'hui cent cinq colonnes se dressaient, toutes ornées d'un drapeau tricolore représentant les départements français. Un arc de triomphe de bois et de toile s'ouvrait sur un cirque, qui occupait presque toute la place. Dessus, le peintre Rigo avait représenté la bataille des Pyramides, décidément fer de lance de la propagande bonapartiste. Cronberg se souvint en souriant des débats passionnés qu'avait suscités ce projet entre les savants et les dessinateurs de l'Institut d'Égypte. On avait d'abord pensé à une pyramide à sept faces, mais cela avait paru trop complexe à peindre. À la place se dressaient sept autels à l'antique, chacun paré de tous les symboles guerriers possibles : armes, drapeaux, couronnes civiques, et la liste des hommes qui avaient été tués au combat, liste dans laquelle Cronberg comptait plusieurs camarades. Au centre de la place se dressait un grand obélisque de bois peint en rouge et portant en lettres d'or, en français et en arabe, les inscriptions : « À la République française, an VII. » De même, en face de l'arc de triomphe étaient disposés des portiques sur lesquels s'étalaient les premières phrases du Coran, celles que Lotfi lui avait montrées. À la dernière minute, et sans doute cela expliquait-il l'exécution plus hâtive des lettres, Bonaparte avait fait rajouter une autre inscription : « À l'expulsion des Mamelouks, an VI. » Il avait longuement discuté avec Dupuy et Cronberg pour savoir si cela pouvait indisposer les Mamelouks, et tous avaient convenu que sans doute mais que cela importait peu, le général considérant comme plus important de se placer en pourfendeur des Turcs qu'en conciliateur.

Il y avait déjà foule. Les cérémonies, comme il fallait s'y attendre, allaient commencer en retard, et les gens s'ennuyaient ferme, contraints qu'ils étaient de rester dignement debout alors que la chaleur déjà s'emparait de la place. Cronberg se faufila aux côtés de Kléber.

— Vous avez vu le général ?

— Il est là. Il a ramené Clioupâtre.

Au bras du général se tenait une jeune femme aux cheveux d'un blond aussi insolent que son décolleté était généreux. Audacieuse autant que charmante, elle avait accompagné son époux, sous-lieutenant au 22e chasseur à cheval, déguisée en chasseur. Dissimulant tant bien que mal sous l'uniforme des appas qui en débordaient volontiers, elle ne quitta son travestissement qu'une fois débarquée en Égypte. Un certain nombre d'autres femmes avaient fait la même chose, mais aucune n'avait suscité le même enthousiasme. Pauline était encore dans toute la fraîcheur de sa beauté. Sans beaucoup de scrupules, elle avait abordé Bonaparte au Tivoli et le général, lassé des femmes orientales, en avait fait sa favorite. Pour faciliter cette apothéose, il avait renvoyé son mari en France pour y porter des messages « urgents ». Depuis, Pauline, qui n'avait même pas feint le chagrin de ce départ forcé, vivait grand train dans le palais d'Al-Alfi Bey. Cronberg l'aimait bien. Elle était belle, gaie, arriviste et un peu bête : il s'entendait bien avec elle, sans penser à mal, car marcher sur les plates-bandes de son chef serait la dernière des maladresses. Pauline le sachant également, cette absence forcée d'ambiguïté reposait ces deux séducteurs, qui dès lors se fréquentaient avec plaisir.

— Bellilotte, dit Cronberg en lui baisant la main, je savais que tu serais le joyau de la fête.

Le vrai nom de Pauline était Bellisle.

— Attends de voir ce qui va suivre avant de comparer, minauda-t-elle.

Comme elle disait cela, la musique éclata. Bonaparte avait voulu faire les choses en grand. Des fanfares se succédèrent, qui jouaient tantôt *La Marseillaise*, tantôt *Le Chant du départ*. Les premiers corps d'armes défilèrent. Les soldats étaient habillés aussi proprement que possible, mais le climat n'aidait guère.

Quand les fanfares s'arrêtèrent, la voix de Bonaparte s'éleva, et le silence se fit, du moins autour de Cronberg.

— Soldats, votre destinée est belle parce que vous êtes dignes de ce que vous avez fait et de l'opinion que l'on a de vous. Vous mourrez avec honneur, ou vous retournerez dans votre patrie, couverts de lauriers..., commença le général en chef.

Cette rhétorique fatiguait Cronberg, qui ferma les yeux un instant et, la chaleur et le manque de sommeil aidant, s'assoupit. Quand les défilés et les discours furent terminés, les rangs se rompirent. D'une main ferme mais amicale, Pauline, qui avait remarqué sa fatigue, secoua Sébastien, qui put se glisser près du général et lui murmurer que le corps avait été brûlé. Bonaparte acquiesça.

— Et votre enquête ?

— C'est encore un peu tôt.

Bonaparte esquissa un signe de mécontentement. Tout ce qui n'allait pas assez vite lui semblait une attaque personnelle.

Les cris des soldats commençaient à emplir les rues. Trois heures déjà s'étaient écoulées, et le déjeuner s'annonçait. Bonaparte recevait cent cinquante convives. La salle du palais d'Alfi Bey avait été décorée avec des intentions politiques évidentes : deux par deux, les couleurs françaises et turques, le bonnet phrygien et le croissant, les droits de l'homme et le Coran étaient associés tant sur les fresques peintes que dans les messages écrits en français et en arabe.

Cronberg s'assit à côté de Pauline, à qui le protocole interdisait de se placer tout près de son illustre amant. Pour montrer sa volonté d'intégration, le général avait refusé qu'il y ait des chaises, et tout le monde devait manger sur des coussins. Les fiers soldats de l'armée, empêtrés par les basques de leurs costumes, ne savaient où poser leurs épées et les plus rebelles pestaient avec vigueur.

— Quelle enculerie que cette manière de bouffer, râlait Kléber, qui venait de se laisser tomber entre Dupuy et Berthollet.

Sébastien s'assit avec plus de grâce, mais frémit devant l'épreuve qui l'attendait : les repas égyptiens étaient interminables et dans son désir de montrer à ses hôtes sa sympathie pour leur culture, Bonaparte allait sans doute commander des festivités du même ordre... Il se sentit accablé quand arrivèrent les premiers plats, divers ragoûts de mouton, avant-garde d'une vingtaine de services.

Deux heures plus tard, il n'en pouvait plus. Sur un grand plateau aux rebords garnis de pain s'étaient succédé un nombre de plats ahurissant : viandes diverses, légumes et poissons du Nil précédaient des dizaines de pâtisseries gorgées de miel et de crèmes pâtissières parfois grumeleuses. Du riz sucré, des sorbets, des fruits exotiques s'ajoutaient les uns aux autres à un rythme tel que personne n'avait le temps de placer un mot entre deux mastications. Les invités arabes, membres du Diwan, émir, kiaya du pacha, aghas et commandants turcs, continuaient d'engloutir la nourriture quand on sentait les invités français, généraux, état-major, fonctionnaires, consul, à bout de souffle. Les savants s'étaient regroupés à une table que Cronberg regretta de ne pas avoir rejointe. Pauline à ses côtés somnolait doucement : elle avait peu mangé et s'ennuyait ferme elle aussi. Non loin d'eux, le général Caffarelli, pourtant l'un des plus dignes des soldats français, venait de déboutonner son pantalon.

Des serviteurs enlevèrent les plats, provoquant un soudain relâchement. Cronberg sentit une main sur son épaule. C'était Denon, qui venait de quitter son groupe.

— Vous vous emmerdez autant que moi ?

— Encore plus, je crois. Clioupâtre sommeille, et je n'en peux plus de manger.

— J'ai repéré une maison à filles vers Bab el-Louq. Elles seront au moins deux. Jollois vient avec moi. Vous en êtes ? Ils vont changer les plats, on peut en profiter pour s'éclipser. Et là, tout de suite, je préférerais mourir que de me taper encore un gâteau au miel...

Cronberg était peu tenté par le bordel, mais aurait sauté sur n'importe quel prétexte pour s'enfuir.

— J'arrive. Je vous retrouve dehors.

Il salua Pauline, qui le regarda partir sans beaucoup de réaction, et il fut vite dehors, après avoir quand même vérifié que Bonaparte ne le voyait pas se retirer.

Ils rejoignirent le quartier de Bab el-Louq, passant devant Tivoli puis descendant la rue Dupetit-Thouars. Les étoiles brillaient au ciel.

— Quand j'étais jeune, une bohémienne m'a promis que je serais aimé des femmes, que j'irais à la cour dans toute l'Europe et qu'une constellation lumineuse comblerait un jour mes vœux. J'attends ce jour avec impatience, mais je ne suis pas sûr que ces prédictions se réaliseront en Égypte... Mais bon... Tout peut changer...

Denon était un compagnon très agréable, et la perspective de chevaucher une femelle décuplait sa bonne humeur. Derrière lui, Jollois, plus jeune et plus timide, suivait sans mot dire.

Ils cherchèrent un peu. Puis, après avoir tâtonné entre deux ruelles aussi obscures l'une que l'autre, Denon les fit entrer dans une petite maison, qui donnait sur une cour intérieure où deux jeunes filles dansaient au son des castagnettes. Déjà très éméché, il se plaignit en voyant les deux pauvres femmes qui les attendaient.

— Mais comment font-elles pour avoir la poitrine qui tombe aussi jeunes ? Regardez ça…

Il souleva le sein de la plus jeune qui, ne comprenant pas un mot de ce qu'il disait, lui souriait bêtement.

— Et ce ventre qu'elles ont toutes : on les nourrit aux loukoums depuis le berceau ou quoi ? Ah, je vous jure, il faut vraiment qu'il y ait pénurie de femmes pour que nous nous contentions de cela. Ouvre la bouche, toi…

Il s'était dirigé vers l'autre fille et lui avait pris le menton, ouvrant lui-même la bouche pour l'inciter à faire de même.

— Ah ! Au moins, celle-là a les dents blanches.

Il sortit deux pièces de sa poche. Une troisième femme surgit alors d'un réduit resté dans l'ombre. C'était la maquerelle, qui protesta devant la somme qu'elle n'estimait pas assez élevée. Elle avait au moins quarante-cinq ans, et tout son corps portait les traces d'une vie de stupre. Ses chairs se relâchaient, ses seins étaient mal retenus par un corsage à moitié transparent. Sans doute l'avait-on enlevée sur les bords du Caucase, car elle était plutôt blanche de peau, mais ne parlait guère que l'arabe. Avait-elle été belle ? Denon revendiqua sa qualité de Français pour mettre fin à la négociation financière et embarqua la fille.

Cronberg regarda l'autre, qui souriait toujours pleinement, montrant une dentition déjà gâtée, et tendait son sein étalé dans sa main vers lui, ayant mal interprété le geste de Denon. Soudain, il n'eut plus envie de cette comédie et sortit. Jollois le regarda, l'air perplexe, puis se tourna à son tour vers la fille.

Cronberg rentra mécontent et s'en prit violemment à deux petits mendiants qui le poursuivirent sur plusieurs centaines de mètres. Plus son séjour se prolongeait, moins Cronberg se sentait à sa place dans son rôle de conquérant. Ce monde lui restait mystérieux, et il ne s'était pas préparé à ce sentiment d'étrangeté.

*
* *

Arrivant à l'Institut, il y fut accueilli par un Romain. Il se demanda ce qui se passait, avant de reconnaître Conté, qui s'était fait un costume avec une robe rouge et une vieille marmite transformée en casque. C'était hélas le déguisement le plus réussi, les autres ayant décidé de se travestir en femmes ou en Arabes. Chez les savants aussi, on avait oublié quelque temps le travail, et Cronberg trouva sur les tables des restes de beuverie et l'évidente trace de présence féminine.

— Et toi, Sébastien, tu seras en quoi ?

Il y avait le soir un bal masqué. Cronberg n'avait pas de déguisement.

— Je resterai en ordonnance du général : comme vous êtes tous grimés en locaux, ça sera sans doute moi le plus exotique...

Le bal était au *Café de l'armée victorieuse*. Il tentait de concurrencer le Tivoli, mais n'y arrivait que certains soirs, quand la place de l'Ezbekiyya était bondée, ou quand il organisait des événements spéciaux, comme ce bal masqué… Tout le petit monde des Français du Caire s'y était donné rendez-vous. Sébastien accompagna le groupe des savants, mené par Conté qui avait l'air d'avoir fortement envie d'en découdre avec la gent féminine. Il leur fallut percer la masse des curieux refoulés avant de pouvoir accéder au bal. Quand il entra dans la salle qu'animait déjà un petit orchestre, il peina à accéder au bar où on lui servit une boisson anisée et très alcoolisée. Il constata, tout en grimaçant tant le goût de l'anis était fort, que le désolant manque d'imagination qui avait frappé les savants était partagé : il y avait plus de faux Arabes que de vrais, et ceux qui n'avaient pas de gallabieh étaient enveloppés dans une toge négligée.

— Il est amusant de constater qu'entre nos deux peuples l'idée de se déguiser consiste en fait à inverser nos tenues, dit un homme à l'oreille de Cronberg.

Se retournant, Cronberg reconnut Lotfi dans un costume de soldat français. Spontanément, il l'invita à prendre un verre.

— Je n'avais pas compris que vous deviez venir…

— Mon père me l'a demandé comme un service. Je n'avais pas de vraie raison de le lui refuser. Il est assez inquiet ces temps-ci. On ne peut pas dire que le Diwan soit une grande réussite, et ce meurtre le perturbe beaucoup.

— Il vous en a parlé ?

— Un peu : je suis assez loin de ces préoccupations politiques…

Cronberg avait sorti un flacon de la poche de son manteau.

— Voulez-vous essayer ? Je l'ai découvert chez vous. On appelle ça le chameau. C'est un mélange d'eau-de-vie, de haschich, de lin et de graine de chanvre. Cela décape fortement.

Le jeune Arabe refusa en souriant.

— Je ne bois pas d'alcool. C'est une autre des différences entre mon père et moi, en plus du goût pour la politique.

Il avait dit cela sur un ton neutre, et pourtant Cronberg ne put s'empêcher d'y entendre un reproche.

— Pardon, j'avais oublié que votre religion l'interdit… Votre père n'a pas les mêmes réserves.

— Il y a beaucoup de points sur lesquels mon père et moi divergeons.

— Pas celui de l'amitié qui vous unit aux Français, j'espère…

— Non, effectivement, même si je ne suis pas sûr que nous voyions cette amitié tout à fait de la même manière…

— Que voulez-vous dire ?

— Mon père y voit surtout matière à affaires, et à raffermir face aux Turcs une position qui est bien fragilisée.

— Pas vous ?

— Je serais ravi que l'oppression turque soit défaite. Mais je voudrais aussi que soit insufflé dans notre pays un peu de cet esprit révolutionnaire qui m'a, je dois dire, séduit chez vous.

Il lui raconta son séjour à l'École de santé.

— Pouvoir passer ces années à Paris, à ce moment précis, a sans doute été une des chances de ma vie. Au-delà de ce que j'y ai appris, j'ai vu naître et enfler un grand vent de liberté, celui que je voudrais voir souffler sur notre pays. Vivre en France a été une expérience fascinante. Nos sociétés sont tellement différentes qu'il y avait à apprendre des expériences les plus triviales. Vous ne ressentez pas cela chez nous, quand vous vous mêlez à notre peuple ?

Cronberg reconnut ses propres sentiments dans les propos du jeune homme.

— Mais si, complètement ! Et je me désespère de sentir que cette fascinante expérience est si imperméable à beaucoup de ceux qui nous entourent.

— Toute armée comporte son lot de soudards. Les victoires remportées par la vôtre n'ont pas dû changer cela.

— Hélas ! Mais je retrouve en revanche ce désir de connaissance chez tous nos savants. Je les vois beaucoup, et même les plus endurcis ont cette envie de découvrir qui à elle seule justifierait cette entreprise.

— J'espère qu'ils pourront l'assouvir tout à plein. C'est assez rare qu'une armée s'encombre comme cela de représentants du savoir. J'y vois un signe d'ouverture rare de la part de votre général. On m'a dit qu'il avait été moins ému par les richesses artistiques de l'Italie...

Ce soupçon d'ironie étonna Sébastien.

— Je ne voulais nullement me moquer, précisa Lotfi, mais au contraire me féliciter de cette nouvelle orientation. Je sais bien que le contexte n'est pas le même, et que nous ne sommes pas en guerre ouverte avec vous, à l'inverse des Italiens. Comment vous plaisez-vous dans notre ville, maintenant que vous y êtes confortablement logé ?

Les deux jeunes hommes continuèrent de discuter un petit moment. Quand Lotfi, appelé par un ami de son père, dut quitter Cronberg, ce dernier se sentit presque heureux : trop attiré par les femmes, il avait peu de vrais échanges avec des hommes, et le fait que Lotfi soit égyptien donnait à leur relation une saveur toute particulière.

L'ambiance se relâchait. Les soldats, qui avaient défilé toute la matinée, commençaient à affluer : Bonaparte avait fait baisser les tarifs de l'entrée pour un soir, et l'alcool était très abordable. Cronberg vit à côté de lui un vieux brave nommé Franty, qui avait été de toutes les campagnes, et lui proposa un verre.

— Pour une fois qu'on nous arrose presque gratis, c'est pas dommage, dit-il à Cronberg. Ça fait combien de temps qu'on n'a pas été payés, maintenant ? Un an presque ? En Italie, on pouvait se servir sur les gens, mais ici, entre les pouilleux et le désert... Le seul truc bien, c'est qu'il n'y a pas Masséna pour se sucrer à notre place...

Cronberg se faufila ensuite à l'étage, où n'étaient admis que les gradés. Le mélange d'alcool et de haschich commençait à faire son effet. Il aperçut Pauline et la salua.

— Notre général vous a donné la permission de sortir sans lui ?

— Mais pas sans chaperon, mon ami, pas sans chaperon. Que croyez-vous que Kléber soit venu faire ici ? Il est plus heureux avec les filles de rue que dans ces foules où il étouffe...

Une salle de danse trop étroite avait été aménagée. Pratiquement toutes les femmes présentes y dansaient, passant de bras en bras. La masse des soldats, qui se pressait en bas, avait fini par s'en rendre compte et beaucoup tendaient le cou pour essayer d'en apercevoir quelques-unes.

Cronberg invita Pauline à participer à un quadrille, danse toute nouvelle que Caffarelli, pourtant incapable de virevolter, s'était juré de lancer au Caire. Il sentait, à chaque passage, son corps contre le sien, et savait qu'elle le faisait exprès. La révélation de sa féminité en avait fait une légende dans la communauté, et beaucoup se souvenaient du trouble que, même déguisée en garçon, elle avait sciemment jeté en eux. Il n'était pas de moquerie qui épargnât ce pauvre Fourès, le dernier à s'être rendu compte de son manège.

Une main s'abattit soudain sur l'épaule de Sébastien. Il se retourna immédiatement, prêt à en découdre.

Et vit devant lui Denon qui, essoufflé, dit quelque chose qu'il ne comprit pas au premier abord.

Il s'excusa auprès de Pauline et entraîna le dessinateur dans un coin plus calme.

— Qu'est-ce qu'il y a ? Votre almée ne vous a pas comblé ?

Denon baissa la tête, reprit son souffle, puis déclara :

— Le dessin...

S'apercevant alors que tout le monde le regardait, il le tira un peu à l'écart.

— Le dessin. Je l'ai vu.

— Quel dessin ?

— Celui du cadavre. Je l'ai revu, sur le poignet de...

Cronberg attendit.

— De la pute dont vous n'avez pas voulu tout à l'heure.

Chapitre 8

Cronberg agrippa l'épaule de Denon.

— Sur son poignet ? Mais qu'est-ce que cela veut dire ?

— Je ne sais pas, je ne parle pas un mot d'arabe, moi. Je l'ai pointé du doigt, elle a eu peur, et elle s'est mise à pleurer. Les autres sont devenues plus agressives. J'ai préféré venir vous en parler.

— Il faut y retourner sur-le-champ. Mais il nous faut un interprète. Est-ce que Venture est là ? Ce bougre d'homme ne doit pas beaucoup aimer danser.

Cronberg était déjà presque dehors. Il avisa un soldat.

— Trouvez M. Venture de Paradis, ordonna-t-il. Qu'il me rejoigne...

Il hésitait à donner l'adresse du bordel, dont il savait que Venture n'était pas très amateur.

— Vous croyez que nous pouvons... ? demanda-t-il à Denon.

— Il semble que nécessité fasse loi... Un jour où Joséphine me posait la même question...

— D'accord. Qu'il nous rejoigne à Bab el-Louq, ajouta-t-il à l'adresse du soldat, après avoir noté sur un papier les indications de Denon.

Il sauta dans un fiacre, et Denon monta à côté de lui. Le chemin jusqu'à Bab el-Louq fut pénible. Les rues étaient envahies par la foule des fêtards, essentiellement des soldats en goguette, et il était difficile d'avancer. Cronberg bouillait et Denon, craignant une autre rebuffade, restait coi.

Quand ils arrivèrent, Cronberg se précipita vers la porte, qui était fermée. Il frappa. La mère maquerelle elle-même vint lui ouvrir. Dès qu'elle le reconnut, elle tenta de bloquer l'entrée. Faisant fi de ses protestations, il pénétra à l'intérieur et ouvrit violemment les rideaux des alcôves. Quatre filles étaient occupées, les quatre avec des soldats français, dont un se mit à protester. Mais celle qu'il cherchait n'était pas là.

Il revint, furieux, Denon toujours sur ses talons.

— Où est la fille qui était là ? cria-t-il.

La maquerelle, qui avait parfaitement compris, fit l'ignorante.

Cronberg lui saisit le poignet et le dévoila.

— Là. Le tatouage sur l'autre fille ? D'où vient-il ? Vous le savez. Ne me racontez pas d'histoires...

Elle mimait toujours le même désarroi.

À ce moment, apparut Venture de Paradis. Il était habillé d'un costume noir élégant qui tranchait avec le lieu.

— Monsieur Cronberg, que vous fréquentiez ce genre d'endroits, je ne l'ignorais pas, mais je n'aurais jamais pensé y être convoqué en plein milieu de la nuit...

— Monsieur Venture, je suis confus de devoir vous y convier. Mais j'ai besoin d'un traducteur, et vous êtes le meilleur qui se puisse trouver.

— La flatterie ne rachètera pas ma présence dans ce cloaque.

Venture était vraiment furieux.

— Maintenant que je suis là, peut-être allez-vous m'éclairer sur ce que je peux bien y faire…

— J'aurais besoin que vous posiez quelques questions à ces femmes…

— Auxiliaire de police maintenant ? Barthélemy le Grec et ses hommes ne vous suffisent-ils pas pour cette tâche ?

— Je n'ai pu les trouver. Croyez bien qu'autrement…

Venture prit visiblement sur lui pour se calmer et se tourna vers la femme.

— Ne perdons pas plus notre temps. Que voulez-vous que je lui demande ?

— Demandez-lui où est la fille qui était là tout à l'heure, et d'où vient la marque qu'elle avait au poignet…

Venture posa ses questions. Sa voix était calme et froide, et contrastait étrangement avec les cris et les soupirs mêlés de larmes que ne cessait de répandre la maquerelle. Pour Cronberg qui n'en percevait que quelques mots, cet échange aux gestes si opposés avait quelque chose de burlesque.

— Elle affirme ne rien savoir, conclut Venture, et ne pas connaître ce dessin. Je crains que si vous ne la livrez pas à Barthélemy…

— Menacez-l'en.

Venture s'exécuta. La femme vacilla, puis elle se reprit et recommença à se tordre les mains.

Cronberg sortit dépité, Denon et Venture sur ses talons.

— Nous avons fait chou blanc. Je suis pourtant sûr que c'est ici que se cache une partie du mystère.

— Vous m'autorisez donc à aller me recoucher ? demanda Venture qui, touché par la déception de

Cronberg, tempéra son sarcasme d'une aimable poignée de main.

— Bien sûr, monsieur, et merci encore de vous être déplacé.

— Qu'allez-vous faire maintenant ? demanda Denon.

— Je ne sais pas. Attendre demain, et peut-être envoyer Barthélemy s'occuper de cette femme. Mais elle a l'air d'avoir tellement peur que je crains que cela ne soit d'aucune utilité. Et en attendant...

— En attendant ?

— Je vais retourner à la fête.

Cronberg se réveilla le lendemain avec la bouche empâtée et la tête lourde. Il était retourné au bal et y avait dansé jusqu'à assez tard, terminant la soirée en buvant de l'eau-de-vie avec deux de ses camarades de l'Institut et Pauline, que Bonaparte emmena vers cinq heures du matin. Le petit Seydoux les avait rejoints, et l'alcool l'avait fait rire assez bêtement à tout ce qui se disait autour de lui. Avant de s'écrouler, il avait évoqué les trafics d'un dénommé Hamelin. Puis il était venu avec eux finir la nuit à l'Institut.

*

* *

Le nom d'Hamelin revint à Cronberg quand il déboucha dans la salle principale de l'Institut et vit Seydoux endormi sur une peau de bête, apportée là par Jollois. L'homme était l'un des plus audacieux parasites occupés à s'engraisser sur les conquêtes de Bonaparte. Il suivait le général depuis l'Italie, où il avait spéculé au point de goûter aux cachots vénitiens à cause d'une histoire de vente illégale de mercure. Bonaparte, méfiant, l'avait écarté de l'expédition d'Égypte. Mais le commerçant avait affrété lui-même un bateau et l'avait dirigé vers Alexandrie, chargé de tout ce que peut souhaiter une armée en campagne. Il avait affronté des navires russes, un chebek turc, une frégate anglaise... La fuite et de faux passeports lui avaient fait surmonter ces obstacles, et il était arrivé à Boulaq pour rejoindre Bonaparte qui, oubliant qu'il l'avait rejeté quelques mois plus tôt, l'avait accueilli en héros. Depuis, Hamelin trafiquait tout ce qu'il était possible de trafiquer, des céréales aux antiquités, des vêtements à l'alcool...

Cronberg secoua sa tête encore lourde et vit Conté, attablé à côté d'une grande feuille sur laquelle il dessinait le plan d'un moulin que lui avait demandé Bonaparte.

— Vous négociez toujours avec Hamelin ? lui demanda-t-il.

— Comment faire autrement ? répondit l'inventeur. Ce type a le trafic dans le sang comme Saint-Just y avait la révolution. Il est partout. Il fait des fouilles avant nous et exhume des objets qu'il nous faut parfois racheter pour avoir le droit de les examiner. C'est scandaleux. Mais personne ne dit rien.

— Et vous savez où il habite ?

— Du tout. Il est prudent et ne reste jamais très longtemps au même endroit. Essayez vers al-Azhar, dans le Khan. Il y traîne, et je crois même qu'il y creuse. Vous voulez acheter des souvenirs ?

Sébastien sourit.

— Plutôt une ou deux questions à lui poser. Merci, Nicolas Jacques.

Cronberg arriva facilement à localiser Hamelin. Le marché du Khan, qui jouxtait al-Azhar, était une des caisses de résonance de la capitale. Plusieurs gamins y servaient de rabatteurs aux Français pour leur trouver de l'alcool ou de la nourriture. Sébastien se promena dans les allées sombres du marché, goûtant quelques épices. Quand enfin il repéra un des enfants, il le héla et, avec ses quelques mots d'arabe, lui demanda s'il savait où était Hamelin. Le petit lui fit signe d'attendre, ce signe avec les quatre doigts de la main repliés en corolle qui était, dans ce pays où rien ne se faisait très vite, l'un des premiers que les conquérants avaient appris. Puis il fila. Cinq minutes plus tard, il était revenu et tirait Cronberg par la manche. Sébastien ne chercha même pas à comprendre comment il l'avait trouvé. Il existait des réseaux souterrains qu'il était tout à fait impuissant à percer.

Le gamin le mena à trois ou quatre cents mètres de là, derrière une boutique de tailleur. Il était encore tôt, mais la chaleur était déjà accablante. En traversant la boutique, Cronberg déboucha dans une petite cour et y vit une excavation qu'il n'aurait pu distinguer depuis la rue. Deux Égyptiens étaient là, qui s'éclipsèrent dès qu'ils le virent. Il entendait des coups de marteau qui s'échappaient de la pièce.

— Hamelin, Hamelin, montra l'enfant.

Cronberg s'approcha et cria le nom du marchand.

Un « oui » sonore lui répondit.

— Je suis Sébastien Cronberg.

Il attendit.

La tête d'Hamelin apparut. C'était un homme robuste, au visage barré d'une large moustache. Ses yeux étaient petits, dissimulés par l'ombre d'un chapeau qu'il ne quittait que rarement. Il avait une réputation de grande dureté, et on le disait sujet à des accès de colère soudains. Plusieurs de ceux qui l'avaient rencontré le comparaient à un tigre, capable de ronronner assez longtemps pour vous assommer ensuite d'un coup de griffe. Mais tous célébraient la manière dont il s'y prenait avec les Arabes.

Cronberg n'avait jusque-là fait que le croiser, mais il comprit tout de suite que l'autre savait parfaitement qui il était.

— Le soleil tape fort, même ici. Ne voulez-vous pas descendre ? Il y a de la place pour trois.

Cronberg se glissa dans le trou, auquel avait été adossée une échelle de bois. Deux hommes étaient déjà présents, qui creusaient avec des houes et avaient entamé un tunnel. Trois momies, récemment extraites, gisaient sur le sol.

— J'ai appris l'existence de cette cache par un de mes indicateurs. Il y en a encore des tonnes, éparpillées dans les quartiers de la ville, dans des cours, des maisons... C'est une mine. Notre voyage en Égypte fascine beaucoup la France.

— C'est justement de vos indicateurs que je souhaitais vous parler. Ce dessin vous dit-il quelque chose ?

Cronberg sortit la feuille sur laquelle il avait recopié le signe. Hamelin tiqua un peu, un court instant, suffisamment pour que Cronberg s'en rende compte.

— Non, je ne vois pas. Pourquoi ? Qu'est-ce que cela pourrait être ?

Cronberg replia soigneusement la feuille.

— Monsieur Hamelin, je ne crois pas que nous nous soyons bien compris. J'ai, comme vous le savez, l'oreille du général. Hier, j'ai passé la soirée chez des prostituées à leur poser des questions sur ce dessin. Votre nom m'est revenu en mémoire. Je ne sais pas ce que vous trafiquez, et cela m'est complètement égal. Mais j'ai besoin de savoir ce que veut dire ce dessin. Et je sais que si voulez continuer à exporter vos momies, vous allez avoir besoin de mes services. Je vous repose donc la question : savez-vous quelque chose sur ce dessin ?

Au simple changement de ton de Cronberg, les deux aides d'Hamelin avaient cessé de creuser. Cronberg se traita intérieurement d'imbécile. Si le trafiquant les lançait sur lui, il n'aurait aucune chance de s'en sortir dans l'espace confiné de la tombe.

Un instant, il crut que la situation allait basculer. Mais Hamelin fit un signe de la main, et les deux hommes se remirent à creuser.

— Sortons, monsieur Cronberg, et allons nous asseoir.

Hamelin, le premier, se hissa hors du trou. Cronberg le suivit jusque dans la boutique, où le marchand sortit une bouteille de vin et l'ouvrit.

— Vous ne mâchez pas vos mots, monsieur…

Il lui tendit un verre, avec un sourire mauvais. Cronberg comprit alors qu'il s'était fait un ennemi, et un de ceux qui ne pardonnaient pas.

— Il est des moments où finasser ne sert à rien. Et je ne crois pas non plus que vous soyez de ces personnes pour qui la subtilité soit nécessaire.

Quelques instants passèrent, le temps que chacun mesure la puissance et le danger que pouvait représenter l'autre.

— Donc, reprit Sébastien, ce dessin…

Hamelin prit son temps, puis se lança.

— Il y a encore au Caire des trafics d'hommes. L'esclavage n'a nullement été aboli, vous avez pu vous en rendre compte, et le trafic est encore très actif. Parmi ces groupes, une bande particulièrement violente s'est illustrée depuis quelques années.

Cronberg ne commit pas l'erreur de demander à Hamelin d'où il tenait ses informations.

— Ce sont des Bédouins. Ils font des razzias fréquentes dans les régions du Sud. À leur tête se trouve un homme mystérieux, dont l'identité est tenue secrète. Nul ne sait non plus d'où vient cette tribu. On dit qu'ils seraient de la région de Rosette, et qu'ils se seraient lancés dans l'esclavage après que plusieurs années difficiles eurent ruiné leurs récoltes. Je n'y crois qu'à moitié : il faut être guerrier dans l'âme, et non paysan repenti pour réussir ce genre de coups.

Cronberg regarda Hamelin avec insistance.

— Je vous assure. Je ne le connais pas, et ne connais personne qui le connaisse. Ce groupe fournit divers milieux louches de la capitale, en particulier les bordels. Pour qu'on sache bien qui il est et d'où viennent ces recrues, il les tatoue à la base du cou ou sur le poignet avec ce signe. Depuis trois ou quatre ans, ses victimes se sont multipliées. Je ne sais ce qu'il leur fait subir, mais elles sont souvent terrorisées par sa seule évocation et nulle ne parle jamais de lui ni d'où elles viennent.

— Mais vous me parlez de prostituées. J'ai vu ce dessin sur un homme...

Le sourire d'Hamelin était sans équivoque.

— Vous croyez vraiment qu'il n'y a que chez les femmes que les Cairotes puisent leur plaisir...

Cronberg ne tira rien de plus d'Hamelin. Ils parlèrent encore un moment, chacun d'eux tentant de réduire la tension qui les avait opposés.

Il rentra chez lui, un peu découragé, ne sachant pas très bien si ce qu'il avait appris présentait quelque intérêt. Le mort était sans doute un prostitué mâle. C'était un pas en avant, certes. Mais quel rapport avec les membres du Diwan ?

Des cris éclatèrent. Quatre soldats, montés sur des ânes, faisaient la course entre eux. C'était l'une des distractions favorites des hommes, mais il y avait déjà eu plusieurs accidents, et des Égyptiens, adultes et enfants, avaient été blessés par les animaux mal dirigés et effrayés par les cris.

Devant sa maison attendait un soldat. Il tenait à la main une lettre de Bonaparte.

— Monsieur Cronberg, le général vous cherche partout. Il m'a donné ce mot pour vous.

Cronberg décacheta la lettre.

« Un autre corps a été trouvé. Venez vite me rejoindre. »

Chapitre 9

Cronberg se précipita vers la villa. Bonaparte était debout au milieu de la pièce, entouré de son état-major.

— Cronberg, vous voici enfin.

Il avait son ton mécontent, comme à chaque fois que les événements le contrariaient.

— On a retrouvé un autre corps à la caserne de la citadelle. Comme le premier, je pense qu'il est contaminé. Qu'est-ce que cela veut dire ?

— Sans doute qu'on essaie d'infecter de la peste les endroits où se trouvent les Français.

— Mais qui pourrait vouloir ça ?

Personne ne répondit.

— Il faut que cela cesse, Cronberg. Vraiment ! Je ne peux pas donner des fêtes et ravir ce peuple tout en tolérant que des irresponsables nous jettent des cadavres pourris à la tête.

Cronberg sut que la colère du général allait lui retomber dessus.

— Et que pouvez-vous me dire sur ce nouveau corps ?

— Rien encore, mon général. Vous venez de me faire mander, et j'ai accouru, mais je ne sais pas de quoi il s'agit.

— Que faites-vous ici, alors ?

— C'est vous qui m'avez fait venir, mon général...

— Eh bien, je ne vous retiens plus. J'ai déjà fait envoyer Desgenettes à la caserne. Rejoignez-le. Et ne revenez qu'avec des éclaircissements...

La seule stratégie acceptable devant la mauvaise foi de Bonaparte était la fuite. Cronberg la mit donc en œuvre...

*

* *

La caserne était située à côté de l'hôpital, dans la citadelle – ce fort construit par Saladin pour protéger la ville et qui surplombait la colline du Moqattam. Cronberg traversa le faubourg. La présence des soldats avait beaucoup modifié la physionomie du quartier et suscitait une sourde hostilité.

Il se laissa mener par une sentinelle qui le fit passer par des baraquements où les hommes, trop nombreux, étaient installés les uns sur les autres. Une odeur de fauve emplissait la pièce. Desgenettes l'attendait dans l'écurie, devant un box clos.

— J'ai fait dégager l'enclos. Ça n'était pas très pratique.

Cronberg pénétra dans le box. La lueur d'une torche éclairait un corps recouvert d'une couverture. Il s'en dégageait le même parfum que le précédent, comme si ceux qui l'avaient déposé avaient voulu très clairement que le lien soit établi entre les deux meurtres. Cronberg souleva la couverture : il s'agissait d'une femme, couchée sur le ventre. Sa robe remontée dévoilait ses fesses, et personne n'avait pensé à la rabaisser.

— Avez-vous repéré le même signe que sur l'autre cadavre ?

— Là, regardez.

De la pointe de l'épée, Desgenettes souleva les cheveux de la morte et montra, à la base du cou, le même dessin.

— Et elle a aussi la peste ?

— Pour autant que je puisse en juger, oui. Pensez-vous en tirer quelque renseignement ?

— Je ne crois pas, non. Sinon la confirmation que tout ceci n'est pas le fruit du hasard...

— Vous croyez qu'il y en aura d'autres ?

— J'espère que non. Mais tout est possible. Qu'allez-vous faire du corps ?

— Le faire brûler sur-le-champ. Et vous ?

— Rendre compte à notre chef, qui était de fort méchante humeur.

Et il retourna chez Bonaparte. Le général était encore là, étudiant une carte avec Caffarelli.

— Je croyais vous avoir fait comprendre de ne revenir qu'avec de bonnes nouvelles, monsieur Cronberg. C'est le cas, je l'espère ?

— Bonnes, je n'en suis pas sûr, mon général. Mais des nouvelles, oui.

— Je vous écoute.

— Ce corps, comme le premier, est celui d'une prostituée marquée d'un signe distinctif et atteinte de la peste.

Bonaparte se leva et se mit à tourner en rond.

— Il n'y a qu'une chose à faire. Une seule. De toute façon, elles ne nous causent que des soucis...

Il se rassit et regarda Cronberg. Ses yeux flamboyaient, comme chaque fois qu'il prenait une décision soudaine.

— Nous allons interdire les prostituées.

*
* *

Le Diwan se réunit le lendemain, mais Bonaparte avait donné ordre de ne rien dire à ses membres, soucieux d'éviter toute scission dans une institution qu'il savait déjà très fragile. Il devait pourtant lui faire avaliser l'interdiction de la prostitution. Les cheiks étaient donc à nouveau tous présents, marmonnant, peu habitués à des convocations aussi rapprochées dans le temps.

Bonaparte les mit rapidement au courant de la découverte du nouveau corps et de la profession qu'exerçaient les victimes.

— Vous savez que ces femmes provoquent de nombreux troubles, commença-t-il à argumenter. Les maladies qu'elles transmettent mettent beaucoup trop de mes soldats à plat. Plusieurs d'entre eux ont également été agressés, et les puits de cette ville ont livré des corps de Français égorgés. Aujourd'hui, je vous le dis, il est primordial d'interdire ces pratiques. Je compte sur vous pour prendre un arrêté en ce sens, et je veux qu'il paraisse venir de vous : il est évident que vous seuls avez l'autorité réelle pour l'édicter. Les récalcitrantes seront punies, et je fais confiance pour cela à notre ami chargé de la police.

Venture était là, qui traduisait.

— Ces filles sont là depuis des années, protesta le cheik El-Mahdi, grand homme efflanqué, secrétaire du Diwan et sans doute le plus proche du peuple de toute l'assemblée. Ce qu'elles font est... est presque de salubrité publique...

Il ne voulait pas trop en révéler, mais sa défense le trahit, et il se rassit un peu honteux. D'autres heureusement vinrent à son aide, tout le monde faisait semblant d'oublier que le premier cadavre était celui d'un homme.

— Nos almées existent pour le bien de tous. Pourquoi voulez-vous ainsi les condamner ?

— De toute façon, interrompit Al-Aroussi, toujours procédurier, la sécurité n'est pas de notre ressort.

Bonaparte tapa soudain sur la table.

— Savez-vous que la peste nous menace ?

— La peste ?

Deux des représentants s'étaient levés, l'angoisse au fond des yeux. La peste était un danger permanent et elle se déclarait à intervalles réguliers depuis des décennies. La situation du Caire, très peuplé, sale, fait de rues étroites, situé dans une plaine sablonneuse – protégée du vent mais pas du soleil par une montagne – et traversé par un canal dans lequel chacun déversait ses immondices, rendait la ville encore plus fragile. Le cheik Al-Aroussi comme le cheik El-Sawi avaient chacun perdu deux enfants à cause de la terrible maladie.

— Deux cas nous ont été signalés.

Bonaparte omit de préciser les soupçons de complot qu'avait Cronberg.

— L'un d'eux était le corps d'un prostitué, que nous avons justement trouvé ici même, dans cette pièce...

— Ici ? s'exclama avec horreur le cheik El-Mahdi.

— Oui, ici. Souhaitez-vous que la peste puisse se répandre ?

— Non, bien sûr. Mais...

— Mais quoi ? Faites ce que je vous demande et rédigez-moi cette déclaration. Je vous garantis que cela contiendra la maladie. Messieurs, cette séance est levée.

Bonaparte était déjà debout.

— Du moins en ce qui me concerne. Vous, vous avez encore des choses à débattre. Souvenez-vous que vous êtes les descendants des grands pharaons et des grands califes, et que cet âge d'or est encore à votre portée.

Venture traduisit sans rendre l'ironie de Bonaparte.

Les Égyptiens se mirent à parler entre eux avec véhémence dès que Bonaparte fut sorti. El-Mahdi et Al-Aroussi rivalisèrent de déclarations. Venture suivit avec amusement la montée des verbes, sachant comment cela allait se terminer. Effectivement, quand le cheik Al-Aroussi voulut quitter la salle, il trouva deux soldats devant la porte. Il revint, furieux.

— Je crois que nous sommes enfermés.

Les membres du Diwan se regardèrent. Ils allaient devoir se mettre au travail et rédiger la déclaration demandée. Tous capitulèrent et parvinrent rapidement à un accord. Une demi-heure plus tard, ils rendaient un texte.

« *Ces femmes sont porteuses de maladies dangereuses. En raison de quoi, nous interdisons leur fréquentation pendant un délai de trente jours, à compter de la date du présent arrêté, à tout individu, Français, musulman, Grec, chrétien ou juif, quelle que soit la confession religieuse des intéressés. Quiconque introduira au Caire, à Boulaq ou au Vieux Caire une femme publique, que ce soit dans les camps militaires ou à l'intérieur de la ville, est passible de la peine de mort. Il en est de même pour les femmes publiques qui chercheraient à s'introduire en ville.* »

Le cheik El-Mahdi, qui avait pris la plume pour rédiger le texte, appela le soldat qui gardait la porte et lui demanda de porter le pli à Bonaparte. Quand il voulut sortir, le garde lui rappela qu'« il vaudrait peut-être mieux attendre la réponse du général ».

Elle ne tarda pas, et exprimait la satisfaction du général devant cette célérité.

Les cheiks purent alors sortir. Cronberg décida de raccompagner Bakri jusque chez lui. Lotfi était là et le reçut avec plaisir. Bakri parla à nouveau de la promenade du dimanche de Cronberg avec Zaynab, à laquelle il semblait beaucoup tenir, et Lotfi ne réagit pas. Cronberg resta un moment. Ils évoquèrent bien sûr le meurtre du Diwan.

— Pourquoi tuer un prostitué ? s'interrogea Cronberg.

— Mais parce que personne ne s'y intéresse, répondit Lotfi, avec un sourire énigmatique.

La réponse parut étrange à Cronberg, mais il n'y prêta guère attention. Il n'y repensa que plus tard dans la journée, alors qu'il rentrait à l'Institut. Aussitôt, il demanda au cocher de l'amener chez Bonaparte.

— Je crois que nous faisons fausse route, dit-il au général. Les victimes ne sont des prostitués que parce que personne ne va s'intéresser à eux. Ils sont sacrifiés, c'est tout. Ce qui compte, c'est la peste, et l'envie manifeste de nous faire peur.

Bonaparte réfléchit.

— Vous avez peut-être raison, Cronberg. Mais il ne faut rien négliger. Et puis ces filles perturbent mon armée. Je maintiens l'ordre. De toute façon, il ne vient pas de moi, mais du Diwan, souvenez-vous…

Et il sourit, d'un sourire qui fit comprendre à Cronberg qu'insister était inutile.

Chapitre 10

Il ne fallut pas longtemps pour que le pire advienne. Dans les deux jours qui suivirent, cinq autres corps furent retrouvés, et tous dans des endroits où logeaient des Français : deux à côté du Tivoli, un près des bains du Birkat El-Fil, un autre aux portes de la fabrique de sirops et liqueurs fines du Dr Wolmar, membre du Diwan, et le dernier dans la maison d'Ibrahim El-Sinnari, qu'occupaient Fourier, Viard, Jollois et Fèvre. Cronberg, à chaque fois dépêché sur place avec Desgenettes, ne put que constater la présence des bubons, et le petit tatouage, sur un poignet pour un homme et à la base du cou, sous les cheveux, pour les quatre femmes. À chaque fois aussi, l'odeur du tagète était présente, comme une signature.

Le complot ne faisait plus aucun doute, mais il était difficile de déterminer son origine. Desgenettes avait donné l'ordre, repris par Bonaparte, de faire aérer toutes les étoffes. Les fenêtres des maisons débordaient de draps, de tissus, de rideaux que l'on mettait à l'air. Des soldats entraient dans les logis qui n'étaient pas ainsi décorés et exigeaient que cela fût fait, suscitant la colère des habitants.

Le chef de la police avait lancé ses indics, souvent des Grecs ou des coptes, sur les traces des criminels. Il n'en avait pour l'instant pas tiré grand-chose. La chasse aux prostituées avait été ouverte, et des dizaines de filles encombraient les postes de police. Certaines portaient le signe en question. Plusieurs furent interrogées, parfois violemment. Mais elles ne purent que raconter leur rapt par les Bédouins, et la façon dont elles avaient été envoyées en ville et vendues à des maquerelles.

Le dimanche arriva, et Cronberg dut tenir sa promesse à Bakri. Le matin, il enfila son uniforme fraîchement repassé, commanda une voiture et se rendit chez le cheik. Ce dernier l'attendait et lui offrit dès son entrée une plantureuse collation à base de thé, de gâteaux au miel et de loukoums. Cronberg se servit, faisant bien attention à reposer son assiette sans l'avoir vidée : cela aurait signifié qu'il en voulait davantage, et il avait déjà été victime de ce malentendu, se forçant à finir son assiette pour avoir l'air bien élevé tandis que son hôte le resservait en s'étonnant de sa gloutonnerie.

— Je vous remercie encore une fois, mon cher Sébastien, de bien vouloir tenter ainsi de redonner à ma Zaynab la considération qu'elle mérite. Elle est là, qui vous attendait…

La jeune fille entra. Elle était habillée d'une grande gallabieh qui la recouvrait entièrement, et dont seule dépassait une tête enveloppée d'un voile. Sébastien la trouva grosse et pas très belle, et comprit encore mieux les préventions de Bonaparte, qui devait beaucoup plus s'amuser avec l'espiègle Pauline. Elle garda la tête baissée, n'osant pas le regarder en face. Son père lui dit quelque chose en arabe, et elle répondit, toujours sans lever la tête.

— Rassurez-vous, Sébastien, cette enfant parle un peu de français, suffisamment, j'espère, pour que vous ne vous ennuyiez pas trop. J'ai, je ne sais pourquoi, donné un semblant d'éducation à mes filles. J'en ai été mal récompensé pour l'instant, mais il semble que cela se fasse...

— Je pensais que nous pourrions aller aux pyramides. La crue a rendu le trajet possible.

Les pyramides étaient devenues le lieu de promenade favori des Français. Cronberg y était déjà allé trois fois et aimait cette longue balade qu'il avait jusque-là faite en passant par la route et par l'île de Roda. Mais il était difficile d'envisager cette longue chevauchée sans escorte, tant les Bédouins restaient menaçants. Depuis le début de la crue du Nil, la transformation de la place Ezbekiyya en lac ouvrant sur la campagne permettait de s'y rendre en barque. Y montrer Zaynab était la meilleure façon d'honorer la promesse faite à El-Bakri.

Le fiacre les amena jusqu'à un endroit au bord de l'eau où quelques barques se balançaient au rythme d'une maigre houle. Il s'installa dans l'une d'elles, et la jeune femme s'assit en face de lui. L'embarcation était petite, et leurs jambes avaient du mal à ne pas se heurter, malgré les efforts qu'elle faisait pour éviter tout contact. Une servante était montée avec eux, avec un panier de nourriture. Deux rameurs, dont un debout à la proue du bateau, dirigeaient l'esquif. Le soleil était encore plus éprouvant à cause de la réverbération de l'eau, et Sébastien enfonça son chapeau sur la tête, déployant ensuite au-dessus d'eux une ombrelle.

— Vous allez souvent aux pyramides ?

À peine avait-il prononcé cette phrase que Sébastien fut atterré de la banalité de son approche, et il sentit qu'il allait monstrueusement s'ennuyer.

« *Pense que tu es en mission* », se dit-il tout en lui décochant un sourire stupide.

Zaynab répondit, toujours sans le regarder.

— Pas très, non. Nous sortons peu, et c'est assez loin. Je crois n'y être allée que deux fois.

Cronberg lui posa deux ou trois autres questions sur la vie chez son père, et à chaque fois elle répondit discrètement.

Le rythme du rameur lui sembla insupportablement lent, d'autant qu'ils se firent dépasser par une autre barque, à bord de laquelle se tenait le général Dupuy, accompagné de deux des savants et d'une Égyptienne encore plus dissimulée sous ses voiles que Zaynab ne l'était sous les siens. Il entreprit alors de raconter à la jeune femme ce qu'il savait des pyramides. Ce fut court, fruit de ce qu'il avait retenu des leçons de Venture sur l'*Orient*. Il se souvenait du nom des trois pharaons qui les avaient fait dresser, s'interrogea sur la présence ou non de trésors encore cachés en leur sein, se demanda comment on avait bien pu les construire. Puis se tut, à court de mots.

— Je parle français mieux que mon père ne le pense, vous savez ? lui dit-elle sans préambule. Nous pouvons peut-être essayer de parler de choses plus intéressantes, puisque nous avons encore du temps à passer ensemble.

Sébastien fut stupéfié par l'impertinence soudaine de son ton.

— Mais... Mais pourquoi cacher à votre père ce savoir...

— Parce que les femmes de mon pays ne sont pas nées pour apprendre. Je ne dois qu'à mon frère d'avoir pu faire ces progrès. Contrairement à beaucoup, il juge possible que nous nous élevions par nous-mêmes. Son précepteur français lui a beaucoup appris, et il a adhéré tout de suite aux nouvelles idées qui germaient en France. Avant même d'y passer ces longues années, il a voulu éviter à ses sœurs le destin qui leur était promis. Ma cadette Nour a été très insensible à ses efforts, ne voyant pas à quoi cela servait de se bourrer la tête d'une langue qu'elle ne parlerait avec personne... J'ai été beaucoup plus ouverte. J'ai donc commencé à apprendre votre langue avant son départ. Cela s'est fait en cachette de mon père. Lotfi et moi avons choisi de le lui dissimuler... Mais il a été suffisamment conscient de mes progrès pour bien vouloir me conduire auprès de Bonaparte. Vous savez l'échec qui en a résulté...

Cronberg n'osa pas demander plus avant le récit de cette expérience, dont Zaynab avait pourtant l'air d'avoir envie de parler. Il répugnait à entendre une éventuelle condamnation du comportement de Bonaparte, condamnation qui pourrait ensuite le mettre en porte à faux.

La grande pyramide, qui se dessinait au loin, fut une diversion parfaite.

— Regardez, nous approchons.

Le terme était optimiste. Le gigantesque monument était encore à une bonne heure de navigation. Mais la conversation devint soudain plus vivante. Zaynab à son tour se mit à lui poser des questions. Elle parlait un français simple, peinait sur les nuances mais faisait très peu de fautes.

Cronberg fit arrêter la barque au pied de la plus grande des pyramides. Une dizaine d'autres embarcations étaient déjà là, avec à leur bord deux ou trois visiteurs : tant mieux, le but premier de la manœuvre était de montrer que Zaynab n'était plus exclue de la communauté française, et il y arrivait parfaitement.

Il reconnut le général Verdier, l'un des rares à avoir emmené sa femme jusque dans ces lointaines contrées. C'était une Italienne pleine de vie, vite devenue l'une des vedettes de la petite colonie. Elle avait en particulier été la première femme française à faire l'ascension de la grande pyramide et aimait à revenir sur le théâtre de cet exploit. Jacotin, chef des ingénieurs géographes, était avec sa concubine, une Égyptienne grasse et noiraude, fille d'un commerçant en grains. Quand il vit arriver Cronberg, il lui lança un gros clin d'œil, et Cronberg comprit alors les intentions de Bakri : non simplement faire croire que Zaynab était à nouveau admise dans la société, mais laisser naître l'idée qu'elle était la concubine de Cronberg et pouvait donc encore lui servir à quelque chose. Le cynisme de ce calcul fit d'un coup voir autrement à Cronberg cette lourde fille dont la conversation l'avait étonné. Furieux, il maudit Bakri et se tourna vers Zaynab.

— Que voulez-vous faire, mademoiselle ? lui dit-il, lui tendant la main.

Elle le regarda en rougissant.

— Eh bien ? tenta-t-il pour la mettre à l'aise.

— Vous allez trouver ça ridicule…

— Pas tant que vous ne me l'aurez pas dit, en tout cas. Alors ?

— Je ne suis jamais… Je voudrais monter sur la pyramide, la grande…

Sébastien éclata de rire.

— Ce n'est que cela...

— Mon père n'a jamais voulu. Il trouve qu'une femme ne devrait pas...

Cette interdiction finit de décider Cronberg.

— Eh bien, nous allons montrer à votre père qu'il ne fallait pas vous confier à moi s'il voulait vous garder sous sa coupe. Venez, mademoiselle, nous allons monter sur la grande pyramide... Êtes-vous sûre d'être bien équipée pour cette montée : elle se fait généralement en pantalon...

— En pantalon ? Vous êtes fou ! Je vais y aller comme cela : je pense que cela fera déjà suffisamment jaser.

Ils s'étaient tous les deux rapprochés du mastodonte de pierre. Plusieurs personnes s'étaient lancées à sa conquête et grimpaient comme un troupeau de chèvres le long de l'auguste édifice, s'interpellant et se lançant des piques d'un bloc à l'autre. Cronberg les regarda d'en bas : il était déjà monté une fois, et avait mesuré la difficulté de l'ascension. Les blocs de pierre étaient extrêmement inégaux, il fallait se hisser avec les bras sur la plupart d'entre eux. Zaynab y parviendrait-elle ? Déjà des enfants accouraient, prêts à leur servir de guides.

— Vous allez monter, Cronberg ?

Verdier s'était rapproché, sa femme au bras.

— Je ne sais pas. J'ai envie d'essayer...

— Pas moi : je l'ai fait une fois, j'en ai sué comme une bête, et que voit-on une fois là-haut ? Un désert de pierraille, qui me donne chaud rien qu'à le regarder... Mais ma femme y retourne, elle. Vous emmenez l'autre, là ?

Il désigna de la tête Zaynab, et Cronberg eut honte pour eux trois de cette familiarité. Mais il ne sut comment faire comprendre au général que Zaynab parlait français, y renonça et s'en voulut de cette lâcheté. Un peu plus loin, un sergent tentait de lancer son cheval à l'assaut de la pyramide, mais l'animal renâclait malgré les injures dont le couvrait le soldat.

— Nous montons de concert, oui. Je vous retrouverai tout à l'heure ?

Verdier acquiesça, sans avoir perçu l'ironie du propos.

Cronberg se hissa sur la première pierre. Une fois dessus, il tendit la main à Zaynab. Elle la serra fermement et grimpa avec une agilité insoupçonnable à en juger par la lourdeur de son corps.

— Cronberg, je vous parie vos gains d'hier au pharaon que je vous rattrape avant l'arrivée, cria Jacotin, qui venait de démarrer l'ascension à côté d'eux.

— Tenu, répondit Cronberg.

Une sorte d'émulation se fit jour entre les deux hommes, qui se mirent chacun à monter de plus en plus vite, stimulant leurs compagnes. Jacotin invectivait la sienne, quand Sébastien se forçait à sourire à Zaynab. Il est vrai que la fille d'El-Bakri montrait moins de fatigue et grimpait avec plus d'aisance, même si de larges gouttes de sueur coulaient sur son visage. Jacotin et sa compagne suivaient, mais on l'entendait geindre et le géographe devait fortement la motiver pour la pousser à continuer.

Enfin ils parvinrent en haut. Sébastien arriva le premier et entendit derrière lui Jacotin pester contre la lenteur de son Égyptienne. Le revêtement de Kheops était complètement tombé, et la pyramide offrait en son sommet une petite esplanade sur laquelle une dizaine de personnes pouvaient circuler.

Cronberg regarda en bas : Mme Verdier avait entraîné la femme de Marcel, le directeur de l'Imprimerie nationale du Caire, et la compagne de Jacotin semblait maintenant vouloir s'arrêter à toutes les pierres.

Zaynab respirait avec peine, mais une joie extrême envahissait son visage.

— Il est beau, mon pays, murmura-t-elle, pour elle plus que pour son interlocuteur.

Au loin s'étendait le désert. On apercevait au pied du monument l'eau du fleuve qui miroitait au soleil, et les barques amarrées qui flottaient. Des deux côtés, les autres pyramides se dressaient. Khephren, dont le revêtement était encore lisse par endroits, réfléchissait le soleil avec encore plus d'éclat.

— Vous vous rendez compte, dit Zaynab. Quand elles ont été construites, elles brillaient et paraissaient toutes blanches vues de loin.

Le Caire était à peine visible, caché par les brumes de chaleur qui s'étendaient sur le désert. Plus au sud, on distinguait la pyramide à degrés de Saqqarah.

— Vous connaissez bien le désert ? demanda Sébastien.

— Nous sortions peu. Parfois, mon père nous emmenait avec toute une armée de domestiques manger au bord d'un canal. J'aimais beaucoup ces moments, trop rares hélas.

— Vous étiez vraiment cloîtrées ?

— Les femmes chez nous ont très peu de vie à l'extérieur de la maison…

Jacotin et sa compagne arrivèrent enfin. Lui était rouge, et furieux.

— Sans cette godiche, je vous aurais battu, Sébastien, tenta-t-il de faire croire.

Derrière lui, l'Égyptienne lui jetait des regards noirs. Elle se tenait au centre de l'esplanade, visiblement effrayée par le vide, alors que Zaynab, elle, s'était avancée tout près de la limite des pierres.

— Vous reconnaissez quelque chose, vous ? demanda Jacotin. Moi, tout ce jaune, ça me tue. Quand je pense que Kléber s'apprête à rejoindre Rosette…

Il sortit un stylet de sa poche et commença à graver son nom sur une pierre.

— Pour que l'Histoire sache que nous sommes montés là.

Il n'était pas le premier à se livrer à l'exercice. Beaucoup des pierres étaient ainsi marquées.

— Regardez qui est déjà venu, s'amusait Jacotin. Lafargue, Verdier, Marcel, Boy, Marchand…

Sébastien n'écoutait plus. Il regardait Zaynab, qui semblait fascinée par l'horizon. Elle désigna au loin deux oasis.

— Là-bas vivent des Bédouins. Ils sont très dangereux. On dit que ce sont eux qui enlèvent des jeunes gens, les marquent et les revendent ensuite au Caire comme esclaves. Vous croyez que c'est vrai ?

Cronberg se figea.

— Vous voulez dire…

— C'est un coin risqué. Mon père nous interdisait d'y aller à cause de cela.

Les deux oasis tranchaient dans la grisaille du désert. Le fleuve coulait à quelques kilomètres d'elles. Serait-il possible que le hasard lui ait ainsi apporté un élément capital pour son enquête ?

— Mais vous êtes sûre ? Tout le monde le sait ?

— Je ne suis pas certaine que ce soit vrai, répondit la jeune femme. Mais la rumeur persiste, et on l'utilise pour nous faire peur. Ces jours-ci, on en a reparlé. C'est pour cela que je m'en suis soudain souvenu. Mais on dit beaucoup de choses sur les Bédouins.

La femme du général Verdier arriva à ce moment, rubiconde. Elle s'assit sur une pierre, fit savoir à tous à quel point elle était fatiguée et fit faire du café par un petit Égyptien d'une quinzaine d'années qui la suivait partout. La dizaine de personnes réunies se pressa autour de l'enfant, félicitant Mme Verdier de cette merveilleuse idée. Cronberg sentit bien que la présence de Zaynab et de la concubine de Jacotin ne plaisait guère aux deux dames.

La descente fut plus aisée : il était possible de sauter d'une pierre à l'autre, et Zaynab s'y révéla encore plus agile. Elle arriva en bas avec quelque chose de changé, plus détendue, plus libérée.

Bakri avait prévu un repas. Zaynab chargea la servante de le disposer sur une nappe et de tout préparer. Elle posa sur un grand morceau de tissu des plats avec du mouton, de la semoule, et des carafes de thé et de jus de fruits. D'autres groupes commençaient à s'installer eux aussi, occupant les rares coins d'ombre. Plus bas, on apercevait la silhouette du Sphinx, dont la petite taille avait beaucoup surpris et déçu Cronberg, à qui on avait fortement vanté l'animal et qui ne voyait pas bien ce qu'il avait de si remarquable.

Jacotin était enfin descendu. Il était tombé d'une pierre, s'était fait mal au coude, déchirant son uniforme, et semblait très mécontent. Sa compagne suivait toujours, trois pas derrière. Il vit Cronberg, mais ne sembla pas désireux de s'asseoir avec lui, ce qui soulagea Sébastien.

Zaynab avait retrouvé en partie sa réserve. Sa conversation restait pourtant spirituelle et pleine de charme. Elle avait lu quelques livres, dont plusieurs en français, conseillés par son frère, et en parlait avec une naïveté qui n'excluait pas l'intelligence.

— Il faut nous battre pour arriver à nous instruire, vous savez. Mon frère a là-dessus des opinions plus ouvertes que mon père et ses amis les cheiks.

Cronberg commençait à se demander pourquoi Bonaparte n'avait pas perçu chez la jeune femme cette grâce que lui découvrait peu à peu.

Ils repartirent vers seize heures. Un petit vent s'était levé, qui atténuait la chaleur du désert. Sébastien était content de sa journée.

Deux heures plus tard, la barque approchait du premier pont sur le Nil, sur lequel se massait une foule inhabituelle.

Trois femmes étaient debout sur le parapet, les mains attachées derrière le dos, une cagoule sur la tête.

Zaynab prononça un mot en arabe avec un air de mépris très marqué. Des almées avaient été attrapées dans une des casernes et on s'apprêtait à les noyer, comme l'exigeait la déclaration du

Diwan, que l'agha des janissaires avait décidé d'appliquer à la lettre.

Un des soldats lut la condamnation. Le silence se fit dans la foule, un silence de plomb dont il était difficile de savoir s'il était clairement hostile ou juste attentif. Un traducteur répéta en arabe ce qui avait été lu. Tout cela avait été soigneusement mis en scène.

Un soldat enleva leurs cagoules aux filles. Et, d'un coup, il fit basculer la première par-dessus le pont. La foule poussa un cri horrifié. La scène fut assez rapide : un remous engloutit la fille, dont on vit la tête ressortir une ou deux fois, cherchant désespérément à rester hors de l'eau. Le sort de la deuxième fut encore plus vite réglé, et ses hurlements n'y changèrent rien. Jetée plus près du rivage, la troisième parvint à mettre un pied sur une avancée boueuse et s'y trouva coincée. Les soldats se précipitèrent. Elle tenta de regagner la rive. Dans la foule, quelques-uns voulurent ralentir les militaires, mais leurs sabres dégainés les firent reculer. Ils arrivèrent en s'embourbant à hauteur de la fille et à trois, lames tendues, la repoussèrent vers l'eau. Elle essaya bien de franchir la barrière qu'ils formaient, mais ses mains entravées l'empêchaient de se protéger, et elle se coupa plusieurs fois sur l'acier. Épuisée, elle tomba à genoux. Un des soldats s'approcha et lui donna dans la poitrine un coup de pied qui la fit tomber en arrière. La foule gronda. Mais la fille se releva, et le visage baigné de larmes, se dirigea d'elle-même vers le fleuve dans lequel disparut sa tête bouclée.

Chapitre 11

Le retour avait été long. Peu après la terrible scène, les gens étaient partis, sans que la foule manifeste beaucoup. La barque avait repris son chemin. Mais quelque chose s'était brisé : Zaynab s'était renfermée, et elle n'avait pratiquement plus rien dit pendant les trois quarts d'heure qu'avait encore duré la traversée du Caire.

Leurs adieux furent plus froids que Cronberg ne l'aurait à la fois cru et souhaité. Dès qu'elle descendit du fiacre qui les attendait au débarcadère, elle le remercia et s'éclipsa. El-Bakri, venu les accueillir, voulut faire entrer le jeune homme chez lui. Mais Sébastien déclina. Quoiqu'il ne voulût pas l'admettre, la scène de l'exécution lui avait laissé un goût amer.

Il rentra à l'Institut. Ce fut pour y découvrir un message de Desgenettes lui signalant que quatre nouveaux corps avaient été découverts.

— Où est le docteur ? demanda-t-il.

— Il est parti à l'hôpital.

— Lequel ?

— Le Maristan. Celui des Arabes.

Bonaparte avait fait ouvrir trois hôpitaux dans Le Caire : un à la Citadelle, un au Birkat El-Fil, un troisième dans la résidence secondaire d'Ibrahim Bey à Qasr Al-Ayni, au bord du Nil. Le Maristan était un hôpital musulman, et Bonaparte avait demandé à Desgenettes d'y apporter des améliorations.

Cronberg fit seller un cheval et se rendit à l'hôpital. Dehors, un certain nombre de miséreux attendaient une distribution de repas. À l'intérieur, dans une odeur pesante, allongés sur des bat-flanc, parfois à plusieurs par lit, des moribonds attendaient la mort. Cronberg chercha Desgenettes, mais ne le trouva point. Il s'avança, évitant les malades couchés par terre, et tomba sur des cages : dans une quarantaine de cellules individuelles, on avait enfermé les fous. Certains criaient. La plupart dormaient, hébétés, affamés. Tous étaient enchaînés et dans un état de propreté douteuse.

Cronberg aperçut Desgenettes, caché dans l'ombre, près de la dernière cage.

— Vous m'avez fait appeler ?

— Vous savez que nous avons trouvé d'autres corps. Le général m'a demandé de prendre de vraies mesures pour aménager cet hôpital. Je voulais faire le point avec vous. Vous avez son oreille plus que moi, et la situation est grave. Souvenez-vous de ce que dit l'*Encyclopédie* : « L'Égypte était jadis un pays d'admiration, c'en est un aujourd'hui à étudier. » J'espère que vous aider m'aidera aussi à avancer dans cette tâche. D'autant que je rage toujours quand je réalise ce que nous aurions pu accomplir si tout notre matériel n'avait pas coulé à Aboukir avec le *Patriote*.

Il essuya la sueur qui coulait sur son front.

— J'irai demain voir le général. Il faut faire fermer le cimetière de la ville et obliger les gens à aller enterrer leurs morts hors des murailles. Vous vous souvenez comme nous avons fait détruire le charnier des Saints-Innocents à Paris ? Ce qui est valable là-bas est valable ici. Mais il faut faire vite.

— Et la quarantaine ?

— Elle est sans cesse contournée. Le général a autorisé toute personne qui apporte des nouvelles de France à s'en dispenser. On ne compte plus les débarquements clandestins, et qui a été puni des trois ans de prison dont on menace ceux qui ne la respectent pas ? Personne. Même les autorités sanitaires de Boulaq multiplient les passe-droits.

— Qu'allez-vous essayer de faire ici ?

— L'idéal serait de monter un centre de traitement. Mais avec quel matériel ? J'ai reçu un rapport de Rosette : l'hôpital a été créé il y a un mois, et il n'a encore ni paillasses ni médicaments ni linges ni pansements ! Il faut aussi apprendre à la population à bien suivre les précautions nécessaires. Pour l'instant, ce n'est pas le cas : le simple fait de devoir exposer les draps et les linges à l'air libre est mal pris. La quarantaine les prive de la mort chez eux, en famille, et de l'enterrement. Hier, j'ai ordonné que l'on brûle la literie d'un pestiféré : les voisins ont cru que nous allions incendier leur maison…

— Je verrai Bonaparte demain, promit Cronberg. J'essaierai de lui en toucher un mot.

Pendant qu'ils parlaient, deux hommes arrivèrent avec un brancard, portant un soldat dont le visage était marqué de bubons.

— En voici un de plus. Ils vont continuer à se multiplier. Il nous faut plus de place, Sébastien. Nous allons être débordés. Parlez-en au général, je vous en prie.

*
* *

Ce ne fut que le lendemain que Cronberg soumit son idée à Bonaparte : tenter de rejoindre avec quelques hommes les oasis que lui avait montrées Zaynab, et ainsi suivre la piste des Bédouins qui trafiquaient les esclaves dont les corps étaient utilisés pour empoisonner la ville. Quand Bonaparte lui demanda d'où il tenait ce plan, il n'osa pas lui dire avec qui il avait passé le dimanche. Le général le savait-il déjà ? Cronberg n'était pas sûr qu'il aurait apprécié la réhabilitation de celle qu'il avait ainsi rejetée.

— Je veux bien vous donner une cinquantaine d'hommes, dit Bonaparte, et vous partirez demain. Mais je m'étonne de ces informations : l'action de nos troupes à Sonbat me paraissait avoir fait comprendre à ces sauvages ce qu'il en coûtait de s'en prendre à nous. Vous prendrez Bret avec vous : il était à Sonbat et connaît bien les Bédouins.

L'incident de Sonbat avait remué toute l'armée. Murat, qui était parti à Dugua prêter main-forte au général Lanusse, avait identifié un groupe de Bédouins. Ils étaient originaires de Derne, en Tripolitaine, et venaient d'un village, Sonbat, qui semblait sous leur coupe. De là, ils avaient lancé une audacieuse attaque sur la ville de Mansoura. Bonaparte, en l'apprenant, était entré dans une colère noire et avait ordonné que le village soit détruit. Le général Verdier, à la tête de cent cinquante hommes, l'avait attaqué, canonnant l'endroit avec une pièce de trois, puis l'avait pillé et détruit, aidé par le cheik d'un village voisin. Depuis, les colonnes mobiles françaises pourchassaient les survivants, mais avaient beaucoup de mal à les contenir et à les débusquer.

— Ramenez-nous ces esclavagistes, Sébastien ! Et surtout mettez fin à cette ignoble propagation de la maladie ! Soyez sans pitié. La férocité de ces Bédouins est égale à la vie misérable qu'ils mènent. Ils sont sans foi. C'est le spectacle de l'homme sauvage le plus hideux qu'il soit possible de se figurer.

Cronberg rentra songeur chez lui, mal à l'aise avec la violence de Bonaparte. Perdu dans ses pensées, il ne vit pas la silhouette qui l'attendait devant chez lui et faillit la heurter. La face poupine et enfantine de Seydoux le regardait, l'air inquiet.

— Jean-Charles ? Qu'est-ce que vous venez faire ici ?

Il ouvrit et laissa entrer le garçon.

— Monsieur Cronberg, je voudrais… Il faut que… Je…

Puis il se tut, presque les larmes aux yeux, la voix éteinte.

— Il faut ? Finissez votre phrase, je vous promets d'y répondre…

— Il faut… Il faut que je parte avec vous.

Il avait lâché le plus dur.

— J'ai appris que vous partiez chercher les Bédouins. Il faut que vous m'emmeniez avec vous, Sébastien. Je veux tout connaître de ce pays, je m'y sens comme chez moi, je dois le parcourir dans ses moindres recoins. Je ne sais si j'aurai d'autres occasions de rencontrer des Bédouins. Si la guerre s'intensifie, cette région ne sera plus accessible, et je ne les aurai jamais vus. Emmenez-moi ! Je suis sûr que nous pouvons faire beaucoup pour ce peuple. Tout ce que nous avons vécu et fait depuis des années ne peut que leur apporter le bonheur. C'est notre mission, celle de la France et ce pourquoi nous sommes venus ici.

Sa voix se perdit en un glapissement aigu. Cronberg, souriant, le fit s'asseoir et lui servit un verre d'arak.

— Vous savez que nous n'allons pas discuter avec les Bédouins, mais les chasser, sans doute en tuer quelques-uns et, dans le meilleur des cas, capturer les autres pour les ramener au Caire. Ça ne sera pas la promenade ethnologique dont vous semblez rêver.

— Ça ne fait rien. Je ne sais pas quand j'aurai l'occasion d'y revenir. S'il vous plaît…

Sébastien regarda avec une sorte de tendresse ce jeune homme chez lequel il retrouvait un peu de l'enthousiasme que lui aussi ressentait parfois.

— Il faut que j'en informe le lieutenant Bret, qui va diriger la troupe. Mais je crois que vous pourrez nous suivre.

Un sourire d'enfant gâté illumina le visage de Seydoux, et Cronberg craignit même un instant qu'il ne se mette à genoux pour lui embrasser la main.

*
* *

Quitter Le Caire fit du bien à Sébastien. « Le problème des charmes de l'Orient, lui avait un jour dit Venture, c'est qu'il est très difficile d'y oublier les charmes de l'Orient… »

Il y avait à peine plus d'un jour de marche jusqu'à la première oasis. Les soldats étaient à pied, lourdement chargés. Le lieutenant Bret, qui les dirigeait, avait une trentaine d'années, et la troupe mêlait quelques vieux briscards à de très jeunes hommes.

Scydoux chevauchait aux côtés de Cronberg. Le jeune homme avait fait à pied la marche d'Alexandrie au Caire, frôlant l'insolation.

— Vous vous souvenez, quand nous sommes arrivés au Nil ? Ah, le bonheur que ce bain : je crois que cela a été le meilleur de ma vie. Mais le plus extraordinaire a peut-être été la première pastèque que nous avons mangée à El-Ramanyeh. Je n'avais jamais rien goûté d'aussi succulent.

Cronberg l'écoutait d'un air distrait, plus attentif à la démarche de son cheval et à la colonne qui se déroulait devant eux. C'est surtout sur Le Caire que le garçon devenait intarissable. Il était émerveillé par ce qu'il y découvrait, par la façon dont des gens pouvaient vivre de manière aussi différente de la sienne.

— Je n'étais jamais sorti de mon village avant de venir à Paris. Ce séjour m'avait déjà beaucoup marqué. Vous étiez en Italie, vous, Sébastien ? Cela vous a fait le même effet ? Même si peut-être les Italiens sont plus proches de nous que les Arabes. Encore que... Jollois me racontait des anecdotes sur la Sicile qui...

Son lyrisme amusait Cronberg, qui doutait cependant qu'un peuple puisse être ainsi transformé du tout au tout. Regardant autour de lui, il se laissa envahir par l'immensité du désert. Le Caire déjà se perdait derrière eux.

Craignant une attaque, le lieutenant Bret avait envoyé des éclaireurs. Ils étaient trois, lançant leurs chevaux loin devant, puis revenant signaler l'absence d'ennemis.

— Vous faites cela pour qui ? demanda Cronberg. Je doute que vos hommes soient capables de voir des Bédouins, et encore moins d'avoir le temps de nous prévenir…

La légende des Bédouins et les récits de leurs attaques silencieuses et meurtrières avaient vite fait le tour de l'armée, effrayant jusqu'aux plus sceptiques.

— Je le fais surtout pour rassurer les hommes. Ils ont peur de ces Arabes, et il ne faudrait pas que cela les amène à les croire invincibles.

Le vent se levait de temps en temps, charriant quelques grains de sable qui venaient gifler les visages. Puis il retombait brusquement.

Ils arrivèrent à la première oasis en fin de journée, un peu plus tôt que prévu. Les chevaux piaffèrent en reniflant l'eau. Les hommes hâtèrent le pas, et Bret dut leur imposer de ralentir et de se mettre en file indienne pendant qu'il en envoyait certains garder les entrées.

Quand tout le monde eut avalé quelques gorgées d'une eau trouble au goût sableux, les soldats dressèrent le camp pour la nuit. Une dizaine de tentes furent montées et des feux allumés.

— Ne craignez-vous pas que l'on nous repère plus facilement ainsi ? demanda Seydoux à Bret.

— Nous sommes déjà repérés, répondit le lieutenant. Mon seul souci est de savoir si cela débouchera sur une attaque ou non.

Le jeune homme ne répondit pas et alla s'asseoir au coin du feu. Le soleil s'était couché très vite et le froid commençait de s'étendre. Un lot de couvertures avait été sorti, et les civils, Sébastien et Seydoux, furent les premiers à se servir.

On leur donna à manger une soupe chaude, bien que trop claire pour être appétissante, et un morceau de pain. Seydoux raconta à Cronberg et au lieutenant ce qu'il savait des populations vivant dans le Fayoum, cette oasis située à deux jours de marche du Caire vers le sud-ouest, et où, leur dit-il, il existait des peintures magnifiques. Les deux hommes se laissèrent amadouer par la passion qui perçait dans la voix pourtant frêle de Seydoux. Bret, qui avait la réputation d'être un froid tacticien, posa même quelques questions.

— Et Sonbat ? Vous en avez entendu parler ? demanda-t-il.

— J'ai su que nos armées y avaient été impitoyables…

On sentait au ton de Seydoux qu'il n'approuvait pas complètement cette dureté.

— Que s'y est-il passé exactement ? continua-t-il. Le village était aux mains des Bédouins…

— Ils y avaient été mandés. À Sonbat, deux clans se disputaient de façon très violente. Des habitants étaient tués presque tous les jours. J'avais rencontré le chef du village, Aioub Bey. La situation, d'après lui, devenait ingérable. Il a alors fait appel aux cavaliers bédouins pour tenter de contenir la violence. Ils sont venus à deux cents. On leur a donné des terres pour qu'ils s'y installent, mais on n'élimine pas ainsi le goût de la rapine. Rapidement, le remède a été pire que le mal, et ils se sont mis à piller le village et ceux alentour. Le général a trouvé dans cette situation un terrain favorable à l'action de notre armée. Nous avons été beaucoup aidés par les gens du village d'Hanout, qui est tout proche. Mais les Bédouins ont brûlé Hanout en représailles et s'attaquent depuis aux paysans qui leur sont hostiles. Je crois que les cheiks de village vont régulièrement faire appel à nous et que l'aide de notre armée nous attachera pour de bon le cœur des gens.

Les sentinelles ranimaient le feu avec de l'écorce de palmier. Bret décréta le coucher.

Cronberg s'allongea sur son paquetage. La lune éclairait les dunes et les marbrait d'un blanc glacial.

Ils reprirent leur marche le lendemain. Bret les avait fait partir très tôt, pour éviter les heures les plus ardentes. Mais le désordre de la troupe, composée de beaucoup de novices, réduisit ses efforts à néant. Le soleil les rattrapa vite.

Ils arrivèrent à un village vers le milieu de la journée. Seules les femmes étaient dehors, assises devant les maisons, certaines entourées d'enfants à demi nus et couverts de mouches. Le cheik vint immédiatement au-devant d'eux. Bret demanda s'ils avaient vu des Bédouins, et l'homme jura que non. Les villageoises paraissaient moins ouvertes que leur chef et regardaient les Français avec une indifférence que seule rompait la curiosité des enfants, venant tourner autour d'eux puis rappelés à l'ordre par leurs mères.

Seydoux mit pied à terre et proposa à Cronberg de venir avec lui visiter une maison.

— Vous verrez comment ils vivent, c'est passionnant.

Il s'approcha et salua deux femmes qui s'enfuirent à l'intérieur. Un homme en sortit. Cronberg garda la main sur son sabre.

Seydoux dit quelques mots en arabe et s'approcha du feu allumé à la porte. Regardant ce qui y cuisait, il détailla à Cronberg la manière dont les villageois s'y prenaient. L'interprète qui les avait rejoints posa quelques questions à l'homme, qui expliqua comment il cultivait ses champs, d'où venaient les semences et proposa de les emmener observer le système d'irrigation. Seydoux avait l'air passionné. Cronberg admira cette spontanéité et cette empathie. Et, curieusement, il repensa à Zaynab.

Un soldat vint les trouver. Bret avait décidé de lever le camp. Il avait acheté quelques vivres aux villageois, recueilli des renseignements assez flous sur la présence des Bédouins et voulait continuer jusqu'à la deuxième oasis pour arriver avant la tombée de la nuit. Seydoux s'arracha avec un véritable chagrin à ses nouveaux « amis ».

Chapitre 12

L'attaque eut lieu à l'heure où le soleil se couchait. La colonne de soldats arrivait près d'une dune. Ils marchaient depuis trois heures, et la torpeur s'était emparée de la plupart, qui mettaient mécaniquement un pas devant l'autre. Le cheval de Cronberg traînait un peu la patte.

Et soudain ce fut l'enfer…

Trois hommes s'écroulèrent à l'arrière de la colonne, sans que personne réalise vraiment ce qui se passait. Puis un groupe d'une vingtaine d'hommes à cheval surgit de derrière la dune, devant Bret et son ordonnance, qui furent abattus immédiatement. Ils remontèrent la colonne, tuant une dizaine d'autres soldats, avant de disparaître sur la gauche. Pendant ce temps, une autre troupe déferla au galop, laissant là aussi plusieurs hommes à terre.

On ne savait plus qui commandait. Cronberg avait saisi son cheval et s'était jeté vers le bord de la dune, là où il lui semblait être le mieux protégé. Seydoux l'avait suivi. La désorganisation était totale, et les hommes tombaient les uns après les autres. Les Arabes, qui criaient, avaient transformé la scène en un cauchemar où plus personne ne semblait reconnaître les siens.

Puis les Bédouins repartirent. La troupe était sous le choc. Près de la moitié des hommes avaient été abattus. Murier, sergent embarqué au dernier moment et le plus haut gradé encore en vie, tenta de regrouper le reste de la troupe au pied de la dune. Il les fit mettre en carré, tactique qui avait magistralement réussi à la bataille des Pyramides, mais l'ennemi ne se remontra pas.

Cronberg s'était rapproché de lui.

— Il faudrait atteindre l'oasis. Là, nous pourrons nous reposer et nous organiser.

— Mais savez-vous où elle se trouve ?

Murier était totalement dépassé par la situation. Deux seulement des Arabes avaient été tués. Cronberg remonta en selle.

— Allons-y. Quoi qu'il en soit, nous ne pouvons rester ici, et retourner sur nos pas prendrait plus de temps que de continuer.

La colonne repartit. Elle marchait plus lentement, les armes étaient dégainées, et les hommes regardaient le haut des dunes, s'attendant à voir de nouveau déferler une troupe hurlante.

L'oasis fut visible au bout d'une heure. Murier envoya trois éclaireurs qui pénétrèrent sans encombre entre les palmiers. Ils y restèrent une dizaine de minutes, qui parurent autant d'heures, puis en ressortirent. Ils n'avaient rien vu, et les soldats pouvaient s'avancer.

Hommes et chevaux s'engagèrent dans un petit défilé qui aboutissait à une vaste mare entourée de quelques palmiers. Murier tenta d'organiser les soldats, vérifia le reste des provisions, dont plusieurs sacs étaient restés sur le lieu de l'affrontement, et organisa tout de suite un tour de garde.

Il jugea imprudent de faire un feu et les hommes commencèrent à distribuer des rations froides.

Ils n'eurent guère le temps de les savourer. Le sable se souleva soudain, et des Bédouins en surgirent, ensevelis qu'ils étaient au pied des palmiers. En quelques secondes, ils abattirent encore une dizaine d'hommes. Cronberg n'eut même pas le temps d'avoir peur qu'il se retrouva entouré et sommé de se rendre. Autour de lui, seuls Seydoux et Murier, encore debout, furent contraints à faire de même.

On les ligota.

— Ils nous laissent la vie sauve, murmura-t-il à Seydoux.

On lui posa sur la bouche un tissu graisseux, qui lui provoqua un haut-le-cœur. Un sac jeté sur sa tête l'empêcha de voir. Il fut poussé en avant, puis hissé sur un cheval. Un homme monta derrière lui et l'enserra. Ils galopèrent pendant, lui sembla-t-il, un petit quart d'heure, puis la bête s'arrêta, et il fut poussé à terre. L'odeur sous son masque devenait insupportable, et il inspira longuement l'air frais quand on le lui enleva. Puis il regarda autour de lui. Il restait cinq hommes : il reconnut Murier, Seydoux et deux autres soldats, dont aucun n'était gradé.

Il se déplaça un peu vers Seydoux. Ses mains étaient solidement liées, et les cordes lui entraient dans les chairs.

— Comment allez-vous ?

Il sentit au tremblement dans la voix de Jean-Charles que cela n'allait pas du tout, et il lui fallut tendre l'oreille pour comprendre ce que l'autre lui disait.

— Que croyez-vous qu'ils vont faire de nous ?

Cronberg tenta de faire passer dans un sourire tout ce qu'il pouvait avoir de rassurant, mais ce fut en pure perte. Le jeune homme était terrifié.

— On dirait qu'on s'est bien fait avoir, lança un des soldats, un quinquagénaire qui avait été de toutes les campagnes d'Allemagne et d'Italie.

Sébastien se souvint qu'il s'appelait Flambard. En revanche, il ignorait qui était l'autre.

— Ne désespérons pas, répondit Murier, dans une dernière tentative de jouer son rôle de chef.

— Vous avez raison, sergent, tout va pour le mieux, ricana Flambard.

Que les prisonniers parlent ne semblait nullement gêner les Bédouins. Ils étaient en train de monter rapidement un camp, dressant de petites tentes en peau, mettant les chevaux à l'abri du vent derrière une dune et allumant un feu avec du bois sec.

— J'ai peur, Sébastien, j'ai peur, dit Seydoux, de plus en plus fort.

— Ta gueule, tu vas nous attirer des ennuis, lui répondit Flambard. Toi qui voulais les voir de près, tes Arabes, tu vas être servi.

La terreur se peignit sur les traits de Jean-Charles. Cronberg trouva odieuse la cruauté de Flambard et lui ordonna de se taire. Flambard grommela mais se tut.

Commença une longue attente. La faim commençait à tirailler les prisonniers, sur qui le froid de la nuit s'abattit à nouveau. Cronberg grelotta soudain et vit que Jean-Charles était lui aussi pris de tremblements. Les trois soldats avaient également froid et Flambard commença à se plaindre.

— Vous croyez qu'ils vont demander une rançon ? demanda Seydoux. Je sais qu'ils l'ont déjà fait par le passé.

Les hommes qui les gardaient et s'approchaient parfois d'eux pour les observer comme des bêtes curieuses avaient revêtu des burnous de laine banche, pour les protéger du froid.

— Et nous, ils ne vont rien nous donner ?

La nuit fut terrible. Personne n'arriva à fermer l'œil. À un moment, les cinq hommes se collèrent le plus possible les uns aux autres afin de se réchauffer un peu. Sans se concerter, ils eurent soin de mettre Seydoux au milieu, sentant qu'il était de loin le plus fragile.

Des Bédouins passaient s'amuser avec eux, les réveillant, les battant. Flambard cria à la première gifle. Il n'y gagna qu'un redoublement de violence et prit dans l'œil un coup de crosse qui lui fit enfler la moitié du visage. Murier paraissait avoir renoncé à toute autorité et se murait dans le silence. Régulièrement, Cronberg entendait Seydoux sangloter, tout en essayant de s'en cacher pour ne pas attirer l'ironie de ses geôliers. Les feux s'étaient éteints, et la plupart des hommes dormaient, surveillés par quelques sentinelles enroulées dans des couvertures à côté des chevaux.

Ils eurent à peine le temps de profiter des premiers rayons du soleil, qui vinrent lentement éclairer le bord des dunes, puis réchauffer leurs membres transis. Le froid et les liens qui lui avaient coupé la circulation rendaient les mains de Cronberg extrêmement douloureuses.

Trois gardes s'approchèrent alors des prisonniers, jusqu'à les renifler. Cronberg les regarda bien en face, sans susciter de réaction chez eux. Puis ils s'avancèrent vers les soldats, dont l'un s'était assoupi, la tête affalée sur son plastron.

Ils s'accroupirent ensuite devant Seydoux, qui s'était réveillé, puis se regardèrent en souriant. L'un d'eux attrapa soudain le jeune homme par le bras. Les deux autres s'emparèrent de ses jambes. Tout était allé très vite, et il ne put que crier.

— Sébastien ! Sébastien, où m'emmènent-ils ?

Cronberg se leva, mais l'un des trois fit demi-tour et lui mit un coup de poing dans le ventre. Ils jetèrent Seydoux devant eux, à une trentaine de mètres des quatre prisonniers. Ils le retournèrent sur le ventre, et l'un des Bédouins déchira son pantalon. Puis il poussa sur ses jambes, le faisant mettre les fesses en l'air et, soulevant sa gallabieh, le pénétra brutalement.

Seydoux poussa un hurlement, long et sauvage, qui glaça le sang des autres hommes.

— Salopards, rugit Flambard. Seuls des animaux...

Il ne finit pas sa phrase, fasciné malgré lui par la sauvagerie du viol. Seydoux s'était tu et ne laissait plus échapper que des gémissements de douleur. Sa tête était toujours sur le sable, et on le voyait faire des efforts pour ne pas en avaler.

Le premier homme finit assez vite. Il essuya son membre à sa gallabieh avant de cracher sur sa victime. Le second se mit en position. Le corps de Seydoux s'était affaissé, et il ne prit pas la peine de le relever. C'est couché sur lui, le recouvrant de son burnous, qu'il termina sa besogne.

Le troisième était plus gros, plus lourd, et Seydoux laissa échapper à nouveau quelques cris de douleur. Ce fut plus long. Aucun des spectateurs ne parlait. Dans le camp, personne n'avait manifesté d'émotion particulière.

Les trois brutes se levèrent et se dirigèrent à nouveau vers eux, laissant le corps de Jean-Charles, immobile, couché sur le sable. Sébastien, horrifié par le spectacle, réalisa soudain que cela pouvait être son tour. Ils s'accroupirent devant lui, dédaignant les soldats. L'un d'eux le regarda droit dans les yeux et fit un geste obscène. Mais ils n'allèrent pas plus loin et s'en retournèrent.

Seydoux ne bougeait toujours pas. Sébastien se tourna vers Murier et ne lut dans ses yeux qu'une horreur mâtinée d'incompréhension.

Il appela son ami :

— Jean-Charles... Jean-Charles...

Seydoux leva la tête vers lui, hagard.

— Je... Essayez de revenir vers nous.

Cronberg s'aperçut que du sang coulait le long de sa cuisse.

— Revenez ici. Il faut vous mettre à l'abri maintenant.

Seydoux commença à ramper. Il avait encore les mains attachées. Il lui fallut de longues minutes pour arriver jusqu'au petit groupe. Flambard ne savait plus quoi dire et lançait à Cronberg des regards que ce dernier ne releva pas.

Seydoux les regarda longuement, les uns après les autres. Ses yeux ne disaient plus rien, ni souffrance, ni révolte, ni même haine : une sorte d'absence, de vide que plus rien ne paraissait pouvoir combler. Cronberg posa sa main sur la sienne, et ce geste, qui aurait fait ricaner une heure auparavant, ne heurta personne.

Seydoux resta prostré plusieurs heures. La journée semblait devoir être aussi interminable que l'avait été la nuit et le soleil un ennemi aussi redoutable que l'avait été le froid. Flambard, qui n'avait plus beaucoup de cheveux, prenait une teinte aubergine. Cronberg bénit ses manches longues qui, si elles aggravaient la sensation de chaleur, lui évitaient de trop graves brûlures.

Les Bédouins ne se décidèrent à lever le camp que vers le milieu de la journée. D'un coup, ils s'agitèrent dans tous les sens, défirent les tentes, remirent leurs selles aux chevaux. Deux d'entre eux s'approchèrent des prisonniers, sabre à la main. Ils levèrent Flambard, qui se mit à pousser des hurlements et à se débattre, puis le contraignirent à se mettre à genoux et, d'un seul coup, lui coupèrent la tête. Cronberg observa la scène, pétrifié d'horreur. Seydoux ne broncha pas.

Ils s'emparèrent ensuite des deux autres soldats, qui connurent le même sort. Murier retrouva soudain sa dignité et alla de lui-même au-devant du coup mortel.

Cronberg ferma les yeux, attendant la lame qui allait à son tour le décapiter. Il tenta de se lever. Le sabre le frôla.

Et soudain ses mains furent libérées.

Il regarda ses geôliers, stupéfait. Ses poignets étaient gonflés et écorchés par les lacets qui les avaient enserrés, le soleil les avait fait rougir. Jamais encore la mort ne lui avait paru si proche, si évidente... Il leva la tête vers le Bédouin qui venait de trancher ses liens. Ce dernier tendit une lettre à Cronberg. Puis il souleva Seydoux, qui était resté à terre. Cronberg voulut s'interposer mais le Bédouin le menaça de son sabre. Il fit un geste obscène. Il souriait.

Un de ses camarades déposa aux pieds de Cronberg une gourde et lui indiqua une vague direction dans le désert. Puis la troupe repartit. Attaché derrière un cheval, Seydoux se mit à trottiner pour tenir le rythme. Il lança un dernier regard à Sébastien quand la bête commença à marcher. Cronberg comprit alors quel enfer allait vivre le jeune garçon et lui souhaita une mort prompte.

Il ramassa ensuite la gourde qui contenait quelques décilitres d'une eau fétide dont il avala deux gorgées. Il dut se retenir pour ne pas la finir, mais ne savait pas combien de temps il aurait à marcher.

La lettre qu'il portait était adressée à Bonaparte. Il hésita à l'ouvrir, puis décida de n'en rien faire. L'adresse était rédigée dans un français correct, avec une écriture occidentale. Qui avait bien pu l'écrire ?

Il ne réfléchit pas plus avant et se mit en marche.

Chapitre 13

Il fallut cinq heures de marche à Cronberg pour atteindre un village. Il avait suivi la route que lui avait indiquée le Bédouin, en se calquant sur la course du soleil. Au bout de trois heures, il était arrivé à une oasis. « C'est un mirage, se répétait-il, c'est un mirage... » Ce n'en était pas un. Devant la flaque d'eau boueuse qui reposait entre quelques palmiers, il avait longuement hésité à boire, puis s'était décidé. Sa gorge était en feu, et il avait l'impression que l'air qu'il inspirait ne faisait qu'en brûler davantage les parois. De ce qu'il restait de sa veste, il avait fait un chapeau improvisé. Ses bras n'étaient par conséquent plus protégés, et il subissait sans pouvoir la combattre la brûlure du soleil.

Il suivit la piste qui partait de l'oasis et que marquaient quelques traces de pas de chameaux. Elle serpentait entre les dunes. Des crottes séchées lui indiquaient régulièrement qu'il était sur la bonne voie. Il marchait comme un automate, luttant contre le découragement. Dans sa poche, il sentait la lettre, la seule explication au fait qu'il soit encore en vie.

Il titubait presque quand il aperçut enfin la tache verte d'un champ. À nouveau, il crut à un mirage et s'interdit de courir ou de se sentir excité. Pourtant, plus il avançait, plus les contours du champ se précisaient. Il parvint jusqu'à son bord, vit un paysan qui le regardait et s'écroula.

*

* *

Il se réveilla dans une pièce qu'il ne connaissait pas. Elle était carrée, avec des murs en torchis. Une lueur vive perçait le chaume du toit et inondait de sa lumière la paillasse sur laquelle il reposait.

Il écarta du pied le tissu sale qui le recouvrait. Se relevant, il eut un léger étourdissement. Faisant fi de sa nudité, il poussa la porte. Le soleil l'aveugla et il recula en fermant les yeux. Il entendit alors un cri :

— Capitaine, il est réveillé. Capitaine !

Il était retombé sur le lit, encore étourdi. Une voix presque enfantine le força à retirer la main qu'il avait mise devant ses yeux et à tenter de les ouvrir. Quand il distingua enfin quelque chose, ce fut un visage rond et imberbe, coiffé d'un tricorne.

— Ça va ? Vous voulez à boire ?

Cronberg fit oui de la tête. Le capitaine lui glissa le goulot d'une outre dans la bouche. Elle sentait la chèvre, mais la fraîcheur de l'eau lui parut divine.

Il se redressa et sentit sa tête lui tourner.

— Où suis-je ?

— Au village d'Esfou. Je suis le capitaine Normand. Vous êtes arrivé il y a deux jours, brûlé par le soleil, et vous vous êtes écroulé dans un champ. Heureusement, c'est un village ami. L'homme chez qui vous êtes tombé nous a prévenus.

— Deux jours ? Et je...

— Vous avez été très mal en point. Regardez par vous-même...

Il tendit à Cronberg un bout de miroir assez petit, mais où ce dernier put voir son visage. Il était encore très rouge. Son crâne surtout avait pris par endroits une teinte violacée. Des morceaux de peau s'en détachaient.

— J'ai... J'ai été brûlé ?

— Vous avez eu une grosse insolation. Vous déliriez quand nous vous avons trouvé, et personne n'a bien compris ce que vous marmonniez...

D'un coup, Cronberg se souvint de la lettre.

— Mes habits. Qu'avez-vous fait de mes habits ?

— Ils ont été rangés.

— Donnez-les-moi. Vite !

Normand rapporta ses frusques à Sébastien. Il se précipita sur sa veste et en fouilla les poches avec rage.

— La lettre ? Il y avait une lettre, là, dans cette poche. Où est-elle ? Une lettre adressée à Bonaparte.

— Nous l'avons mise de côté, parce qu'elle nous paraissait précieuse. Je vais vous la chercher.

Normand lui parlait lentement, comme à un convalescent, et ce ton commençait à exaspérer Cronberg. Il revint avec la missive.

— Je devais porter cette lettre dans les plus brefs délais. Pouvez-vous me donner un cheval ? À combien de temps sommes-nous du Caire ?

— À un peu plus d'une journée. Mais vous n'êtes pas en état de voyager. Vous êtes encore très faible, et...

Cronberg s'était déjà levé et avait commencé à renfiler son pantalon.

— Il faut que je parte. Faites-moi seller un cheval. Le général attend cette lettre et je dois la lui apporter sur-le-champ.

Le capitaine tenta bien de s'opposer à la volonté de Cronberg, mais il ne put l'arrêter. Tout au plus obtint-il du jeune homme qu'il emmène avec lui un des soldats, un nommé Lambert, un grand brun à l'air assez stupide et dont une mèche rebelle dépassait du calot.

— Vous êtes plutôt bouillant, vous..., lui dit-il.

Repensant à son visage, Cronberg éclata de rire.

— Bouilli, capitaine, bouilli...

*

* *

Lambert montra rapidement son utilité : Cronberg tomba deux fois de cheval et le soldat l'aida à se remettre en selle. Malgré son désir de rapporter au plus vite la lettre à Bonaparte, il comprit qu'il valait mieux faire halte. Lambert l'allongea au pied d'une dune. Il avait à nouveau de la fièvre et son crâne était douloureux.

Ils réussirent à atteindre un campement d'Arabes qui les accueillirent avec bienveillance. Lambert obtint qu'ils y passent tous deux la nuit. Cronberg s'allongea, pris de tremblements, et eut du mal à s'endormir.

Il se leva en meilleure forme le lendemain et remonta sans trop de peine sur sa monture. Lambert et lui marchaient lentement. La proximité du Caire se devinait déjà : les champs étaient cultivés, les caravanes passaient plus nombreuses. Enfin la ville lui apparut.

Cronberg voulut se faire mener aussitôt chez Bonaparte. Mais le général était parti pour la journée. Il confia la lettre à son ordonnance et rentra chez lui.

La sollicitude de ses compagnons, de Denon, surtout, lui fut pénible. Il n'avait nulle envie de raconter ce qu'il avait vécu, pas du moins avant d'en avoir parlé à Bonaparte, mais ne put cacher le massacre de ses compagnons d'armes. Desgenettes lui donna quelques médicaments contre la fièvre, puis lui ordonna de prendre du repos, mais Cronberg tint à aller jusqu'aux bains pour se laver. Il se frotta avec rage, presque jusqu'au sang, comme pour mieux éliminer le souvenir des tortures de Seydoux. Il enleva avec soin les peaux mortes de son visage brûlé.

En fin de journée, il revêtit un costume neuf et se rendit à nouveau chez Bonaparte. Le général était de retour et lui ordonna d'entrer.

— Cronberg ! D'où sort cette lettre ?

Sébastien s'inclina avec déférence, comme pour se moquer de la rudesse de Bonaparte, qui fut assez subtil pour comprendre l'allusion et ne pas s'en fâcher.

— Pardon, je ne vous ai pas demandé de vos nouvelles... Vous êtes arrivé en piteux état et seul, je crois. Asseyez-vous et racontez-moi. Je vois effectivement à votre teint que le soleil ne vous a guère épargné... Mais dites-moi avant tout d'où vient cette lettre... Et ce que sont devenus vos compagnons.

— Si je peux vous demander un peu de patience, mon général, je crois plus pertinent de commencer par le commencement...

Et Cronberg raconta. Il pouvait suivre sur les traits de son interlocuteur la montée de l'indignation. Quel qu'ait été le contenu de la lettre et ce dont il était capable lui-même, la cruauté des Bédouins heurta Bonaparte, qui se leva pour faire de grands pas pendant l'épisode du viol de Seydoux.

— Je ne dois sans doute la vie sauve qu'au fait d'avoir fait office de messager...

— Ah, cette lettre...

Bonaparte fulminait.

— Ils me disent... Tenez, lisez...

Cronberg s'empara du papier, que Bonaparte avait, de rage, déjà froissé. La lettre était assez longue, deux pages écrites en petits caractères. C'était une attaque en règle contre l'occupation. L'épistolier y détaillait avec finesse ce que les Français avaient apporté de nuisible : le dérèglement des mœurs et la présence de femmes aux tenues inacceptables, des déclarations faussement tolérantes et une vision caricaturale de l'islam, la récupération des fêtes égyptiennes au profit de célébrations révolutionnaires, les viols répétés de l'intimité familiale, pilier de la vie islamique. Et il proposait des solutions à apporter : cesser de choquer les Égyptiens par des comportements indignes, s'entourer, au lieu de notables corrompus, de gens susceptibles d'ouvrir des ponts entre les deux peuples, mettre fin à cette politique de terreur stérile (têtes coupées et autres) qui braquait la population contre les Français sans faire diminuer, au contraire, le nombre de leurs opposants... Sans cela, assurait-il, les Français s'apercevraient vite qu'ils n'étaient pas les bienvenus. Il accablait aussi les collaborateurs du Diwan, leur promettant tous les maux du monde. « *Nous ne laisserons pas notre mode de vie s'inféoder à celui d'une puissance étrangère,* continuait la lettre. *Vous avez eu un aperçu de ce que nous sommes capables de faire. Commencez à prendre les mesures que nous exigeons.* » Le message demandait un premier geste de bonne volonté : que les Français cessent l'inventaire des immeubles du Caire, qu'ils avaient lancé pour pouvoir établir un cadastre et qui paraissait à chacun comme une intrusion intolérable.

— Qui peut se croire suffisamment fort pour se permettre de me donner ainsi des ordres ? À moi, l'homme de la bataille des Pyramides, l'homme de la campagne d'Italie, le représentant de la France ? Hein, qui ?

— Je ne le sais pas, mon général, ne put que répondre Cronberg. Quelques opposants...

— Pour nous faire sentir qu'ils sont là ? En massacrant une colonne ? En torturant mes hommes ? En vous envoyant me porter des ultimatums ? En s'alliant aux plus féroces des Bédouins ? Et la peste ? Que dites-vous de la peste, que ces fous voudraient répandre parmi nous ? Non, Sébastien, ce ne sont pas des dilettantes, mais des monstres déterminés, qu'il nous faut arrêter.

Il regarda le jeune homme.

— Qu'il vous faut arrêter, mon cher Sébastien. Je vous donne tous les moyens dont vous aurez besoin, mais je veux que les auteurs de ce message se balancent très vite au bout d'une corde.

*

*   *

Sébastien relut pour la centième fois la lettre. Qui pouvait lui fournir un début de piste ? Il avait encore mal au visage, se sentait perdu. Le soleil l'accablait. Qu'est-ce qui avait bien pu faire croire à Bonaparte qu'il était le plus qualifié pour ce travail de police ? Qui pouvait cette fois le renseigner ? Marcel, peut-être ? C'était l'un des imprimeurs embarqués par la flotte française, et il avait déjà su gérer de façon remarquable une ou deux crises : il était en particulier parvenu à faire imprimer la déclaration d'Alexandrie en quatre mille exemplaires alors que les caisses contenant le matériel d'impression avaient toutes été renversées et les lettres mélangées. Peut-être trouverait-il un moyen de le renseigner ? De toute façon, Cronberg n'avait rien à perdre à la démarche. Il secoua son grand corps et décida d'y aller à pied pour mieux se dégourdir.

Marcel était au milieu de l'imprimerie, baptisée « Imprimerie nationale ». Il n'avait que vingt-deux ans, mais une barbe drue lui en donnait un peu plus. Arabophone, presque autant que Venture, proche de plusieurs lettrés du Caire, collectant les manuscrits, il était de ceux qui pouvaient réellement créer des liens entre Français et Égyptiens. Beaucoup le jalousaient car il avait été un des rares à faire venir sa femme, laquelle avait justement accompagné Cronberg et Zaynab en haut de la pyramide lors de leur promenade...

À ses pieds gisaient des paquets du *Courrier de l'Égypte*, sorti à peine un mois auparavant. C'était un bulletin de quatre pages, qui devait paraître tous les cinq jours. Marcel prit le dernier et le montra avec fierté à Cronberg.

— Regardez, c'est de mieux en mieux. Bourrienne et Venture ont participé à celui-ci, et le matériel que Monge a volé au Vatican est très performant. Je suis vraiment fier.

Cronberg feuilleta le numéro. Comme les précédents, il se contentait surtout de présenter les manifestations artistiques à venir, d'ironiser sur la vie diplomatique étrangère et les cours européennes et de raconter les victoires des Français sur les Mamelouks. En dernière page, on trouvait les annonces d'un nommé Dargeavel, qui voulait créer un Tivoli égyptien avec des « jardins à la française », et l'énoncé de nouvelles taxes et de nouveaux droits d'enregistrement sur les moulins et les bains publics qui allaient encore frapper les Égyptiens. Tout ce qui nuisait à l'image de l'armée était proscrit, et Cronberg était sûr de ne pas y trouver une ligne sur sa sinistre aventure.

— C'est un très beau travail, mentit Cronberg. Mais je ne suis pas venu pour cela, je vous l'avoue. Jean-Joseph, pourriez-vous me dire d'où vient ce papier ? C'était une missive adressée au général, que l'on m'a remise alors que j'étais en mission dans le désert.

Marcel prit la lettre, l'examina et répondit : le papier venait d'Alexandrie, était d'un lourd grammage. Il était d'usage courant pour les membres de la classe supérieure. On le trouvait au Caire dans plusieurs boutiques.

Cronberg lui demanda ensuite d'en analyser l'écriture. Sa connaissance de l'arabe pouvait peut-être le mettre sur une piste intéressante.

— Regardez la forme spéciale des « l » et des « m ». Les traits en sont un peu empâtés, comme si l'auteur n'avait pas l'habitude de les tracer. Le vocabulaire l'indique aussi, je crois : c'est le vocabulaire élégant et un peu scolaire de quelqu'un qui parle bien la langue, mais ne l'a pas apprise à la naissance.

L'imprimeur tournait et retournait la lettre entre ses mains, cherchant un indice. Cronberg, qui avait déjà tendu la main pour la reprendre, s'irritait sans oser le dire de cette insistance.

— Il n'y a qu'une chose bizarre, lui dit-il enfin, portant la lettre à son nez, puis la tendant à Cronberg pour qu'il la hume à son tour. Ce papier sent le vinaigre…

Cronberg renifla la lettre.

— Cela veut dire que cette lettre a été désinfectée pour raisons sanitaires.

— Mais par qui ?

— Par ceux dont c'est le métier, je suppose. Par le bureau du service départ de la direction des postes. Ils sont à Ezbekiyya, à la maison Muhammad Kashif. Vous ne recevez jamais de lettres ?

— De qui ? Je n'ai pas laissé grand monde derrière moi…

— C'est pour cela que vous êtes toujours avec le général ? Vous regardez l'avenir loin devant ?

Il éclata de rire.

— Méfiez-vous. Quand je nous vois tous bloqués ici, après nous être fait ratiboiser à Aboukir, je me demande si c'est vraiment un homme d'avenir, votre général. À moins que son destin soit de rôtir ici.

Cronberg reprit sa lettre. Ce genre de propos était de plus en plus fréquent parmi les soldats, qui maudissaient le pays et ne savaient plus trop ce qu'ils étaient venus y faire.

— Allez voir les postes. Cette odeur semble vouloir indiquer que la lettre est partie d'ici, ce qui paraît un peu curieux si on songe qu'on vous l'a remise en plein désert…

Le terme de « bureau de poste » appliqué à l'endroit où Sébastien se rendit était très pompeux : un seul fonctionnaire était présent, devant des sacs de lettres cachetées. Cronberg se présenta et expliqua la raison de sa venue. L'homme prit la lettre.

— Vous l'avez reçue où ?

— On me l'a donnée dans le désert.

— Où ça ?

— Nous avions marché vers le Delta.

— Le courrier passe par là, vers Mansoura ou El-Ramanyeh. C'est un coche d'eau qui l'apporte, deux fois par décade à peu près.

— Ce qui veut dire que...

— Que votre lettre est partie d'Alexandrie ou du Caire.

L'homme désigna en haut de la feuille un petit trou d'épingle.

— Regardez là... Ça, c'est moi. Comme j'ai beaucoup de lettres, je les attache souvent avec des épingles. À Alexandrie, ils ne le font pas.

— Donc...

— Donc votre lettre est partie du Caire.

Cronberg ressortit à toute allure de la poste. Son découragement s'était envolé. Ainsi, les attaques venaient bien du Caire. Si l'on joignait cette information aux cadavres de pestiférés, on se trouvait devant un complot plus élaboré qu'il ne l'avait d'abord soupçonné.

Mais qui pouvait être derrière tout cela ? Et pourquoi ? De simples résistants à l'occupation française ? La lettre était sur le fond sans ambiguïté. Avait-il eu raison de soupçonner en premier lieu les membres du Diwan ? Mais ils se seraient mis eux-mêmes en danger avec le premier corps pestiféré... Quels étaient alors les autres moyens dont ils disposaient ?

Il se sentit tout à coup parfaitement étranger à ce qui l'entourait. Regardant dans la rue, il vit passer le petit peuple égyptien comme il l'avait toujours vu : des femmes pour la plupart cachées derrière leurs voiles, des hommes en habits sales tirant des charrettes et des ânes, d'autres assis au coin des rues et dont il ne savait pas ce qu'ils faisaient là ni de quoi ils vivaient. Que connaissait-il d'eux, en fait ? Que comprenaient-ils de ce qui leur arrivait ? La Révolution avait montré la force que pouvait représenter le peuple. Quand les Français avaient tué un roi, ils avaient fait résonner leur désir de liberté dans toute l'Europe. Mais ici ? Qu'est-ce que cela signifiait ? Ceux qui le regardaient avec une curiosité de moins en moins grande au fil des jours, que pensaient-ils de lui en réalité ? Souhaitaient-ils sa mort, ou étaient-ils prêts, comme les cheiks du Diwan et ses amis égyptiens francophones, à aider les Français à s'installer chez eux, dans cette ville sale et bruyante ?

Il décida de passer voir Venture. Sa connaissance des Arabes et de leur culture lui permettrait peut-être de débrouiller cet écheveau. Il le trouva en compagnie de son gendre Sulkowski.

Cronberg s'attabla avec eux, sachant bien qu'il interrompait une conversation. Sulkowski lui fit sentir son importunité, mais Venture l'accueillit avec courtoisie.

— J'ai eu vent de votre aventure. J'imagine que cela a dû être un supplice. Ces Bédouins sont des gens très rudes...

Si l'on savait que Cronberg avait été fait prisonnier et que la colonne avait été exterminée, le viol de Seydoux avait été passé sous silence, Bonaparte lui-même ayant jugé qu'il était de nature à abattre le moral de bien des combattants.

— Je ne sais comment j'en ai réchappé, commença-t-il.

— Il faudrait exterminer ces sauvages, commença Sulkowski. Le général y est d'ailleurs bien déterminé…

Il aimait à parler en citant Bonaparte, y compris quand il n'avait aucune idée de ce que l'autre pensait vraiment.

— Mon gendre est un proche du général, commenta Venture, qui savait qu'il ne pouvait faire plus de plaisir à l'aide de camp qu'en mettant en avant cette intimité.

— Nous avons peur que les Bédouins ne se rapprochent du Caire et ne tentent des incursions dans la ville, continua-t-il.

Il avait raison : c'était la grande crainte de Bonaparte, et Lannes avait été chargé de sortir régulièrement surveiller les abords du Caire pour décourager toute tentative. L'audace des Bédouins était telle qu'ils avaient parfois tué et enlevé des soldats français presque sous les murs de la capitale.

— Vous vouliez me voir pour quelque chose, Sébastien ?

— Vous qui comprenez mieux que nous ce qui se dit, comment les gens jugent-ils les Français ?

— Il est très difficile de comprendre un peuple et de ne pas faire d'erreurs, même avec de bonnes intentions. Mais je suis un peu inquiet, Sébastien. Beaucoup de nos initiatives sont mal interprétées. Nous n'avons pas assez pris la mesure de la fierté musulmane et de leur rivalité avec les juifs et les chrétiens. Ces derniers collaborent beaucoup plus avec nous et gagnent notre faveur au détriment des autres.

— Mais le général s'est arrangé pour recueillir les plaintes des musulmans.

— Sauf qu'elles n'arrivent jamais jusqu'à ses oreilles, parce que les interprètes, qui sont souvent des juifs ou des chrétiens, les interceptent. Le général a tort de ne s'appuyer que sur ceux qui viennent spontanément jusqu'à lui... Il fait trop souvent croire aux musulmans qu'ils ont un statut de dhimmi.

— De quoi ?

— De dhimmi. Le dhimmi est quelqu'un d'accepté mais de statut inférieur. C'est la place que l'islam laisse aux non-musulmans. Et, avec nous, les musulmans ont souvent cette impression. Le mot revient souvent dans les conversations. Les cheiks du Diwan l'entendent beaucoup...

— Pourquoi ne le disent-ils pas plus ?

— Parce qu'ils n'ont pas choisi de faire partie de cette institution ; parce qu'ils digèrent l'interdiction de la prostitution pour laquelle Bonaparte leur a fait porter le chapeau ; parce qu'ils sont là pour faire avancer leurs propres pions et non ceux de l'envahisseur ; pour des tas de raisons que nous ne comprenons sans doute pas... Vous devriez venir un vendredi avec moi à la mosquée. Je l'ai fait la semaine dernière, et le discours prêché par l'imam m'a paru très violent, et beaucoup plus politique que religieux. Mais ma présence a vite été repérée et il s'est tu. Venez, vraiment : j'essaierai de vous traduire ce que j'entendrai.

Cronberg sentit d'un coup toute la fatigue des jours passés tomber sur ses épaules. Il s'excusa auprès de Venture et se leva. Sentant encore le poids de la lettre dans sa poche, inquiet à l'idée de tout ce que l'interprète lui avait confié, il voulut quand même faire un crochet par la maison de Bonaparte. Mais la sentinelle l'arrêta à l'entrée, lui apprit que le général s'était couché très tôt parce qu'il partait le lendemain en inspection de travaux dans le Vieux Caire et à Rodag, et qu'il avait demandé qu'on ne le dérangeât que pour des raisons de première urgence.

Cronberg estima qu'il n'y avait pas à ce point urgence.

C'était le 29 vendémiaire an VII. Il avait tort.

Chapitre 14

— Sébastien ? Sébastien ?

La main qui le secouait se fit insistante, et Cronberg ouvrit les yeux. Denon était en train de le réveiller.

— Qu'est-ce qu'il y a encore ? pesta Cronberg, qui avait du mal à s'extirper de son sommeil. On ne peut décidément pas dormir en paix, ici ! On croirait…

Il aperçut l'air bouleversé de Denon. Même si le courage n'était pas la vertu la plus évidente du dessinateur, peut-être se passait-il vraiment quelque chose de grave…

— Qu'est-ce qu'il y a ? Un souci ?

— Je ne sais pas bien. Mais il y a des cris, des coups de feu. Un soldat est passé nous dire de ne pas sortir, que cela pourrait être dangereux…

Cronberg sauta de son lit et enfila vite un pantalon.

— Vous ne savez pas ce qui se passe ? Je vais aller voir.

— On nous a demandé de ne pas sortir.

— Je ne vous oblige pas à m'accompagner.

Denon prit l'air penaud, mais n'indiqua pas qu'il avait l'intention de suivre Sébastien.

Ce dernier passa dans la salle à manger, attrapa un morceau de pain plat et rond qu'il mit dans ses poches et ouvrit la porte.

Il y avait effectivement un brouhaha inhabituel dans la rue, que ne baignait encore que la lueur des lanternes. Cronberg se dirigea vers les postes des soldats qui bouclaient le quartier d'Ezbekiyya. Ils avaient l'arme au poing, étaient sortis de leurs guérites et regardaient avec inquiétude en direction des rues plus lointaines.

— Qu'est-ce qui se passe ? demanda Sébastien.

Le soldat était un homme assez jeune. Il lut la peur dans ses yeux.

— Je ne sais pas. Depuis ce matin, on dit que les mosquées gueulent contre nous. Tenez, écoutez.

Cronberg entendit au loin l'appel du muezzin. Il avait effectivement l'air plus agressif et véhément que d'habitude.

Un homme à cheval stoppa devant la guérite. La bête avait l'écume aux lèvres.

— Ils ont détruit la maison du cadi. Les Arabes sont partout. Ils cassent tout. Ils s'en sont pris au souk, puis ils ont envahi les rues…

— Le cadi ? La maison du cadi ? Vous êtes sûr ?

— J'en viens. J'ai eu beaucoup de mal à me frayer un chemin. On a l'impression que tout le monde investit les rues. Je n'ai jamais vu une foule pareille.

— Donnez-moi votre cheval. Je vais aller voir.

Cronberg attrapa la bride de la monture et sauta sur son dos. Le soldat essaya de le retenir, lui criant :

— Faites attention, ils sont vraiment fous…

Mais Sébastien avait déjà franchi l'entrée de la rue.

Il se dirigea vers les souks et comprit qu'effectivement quelque chose clochait. La clameur au loin se faisait plus forte. Cronberg mit pied à terre et frappa à la porte d'un boulanger, devenu l'un des fournisseurs habituels des Français. Personne ne lui répondit. Le quartier paraissait déserté.

En levant les yeux, il vit un nuage de fumée s'élever par-dessus les toits. La maison du cadi était de ce côté. Y aurait-on mis le feu ?

Il remonta sur son cheval et galopa en direction de l'incendie. Mais il n'eut pas le temps d'aller très loin et tomba sur trois hommes en train d'en battre un quatrième. Dégainant son épée, il les chargea en criant et le groupe se dispersa. Cronberg reconnut le blessé : c'était Feulet, un des gardes de l'Institut. Son flanc avait été percé de plusieurs coups, et son sang teintait le sable, agglomérant la poussière en une flaque sale.

— Ils sont devenus fous. Ils ont voulu que le cadi les accompagne chez Bonaparte, et quand il a refusé, ils l'ont assommé. Puis ils ont mis le feu à sa maison. Il y a des gens aux fenêtres qui excitent la foule et les mosquées n'arrêtent pas de crier contre nous.

La douleur lui fit baisser la voix.

— Je crois... Je crois qu'ils vont tout détruire dans le quartier français. Il faut les prévenir.

Il se raidit.

— Ne vous occupez pas de moi. Je sais que c'est fini. Essayez de les prévenir. Ça va être terrible...

Cronberg jeta un nouveau coup d'œil sur la blessure et comprit que Feulet avait raison : c'était fini pour lui.

— D'accord, j'y vais. Mais je reviendrai vous chercher...

— C'est ça, revenez.

Son œil déjà devenait vitreux.

Cronberg repartit. S'il coupait par-derrière, par El-Husseini, il avait peut-être une chance d'arriver avant les Arabes au quartier français.

Le cheval fatiguait sous lui. Les cris se rapprochaient. Il avait du mal à aller vite dans le dédale des ruelles. Il en prit une, puis une autre. Et soudain se trouva devant les émeutiers.

C'était la partie où se dressaient les boutiques des négociants européens. Plusieurs d'entre elles avaient été pillées. Les bruits de bois brisé des portes qu'on enfonçait se multipliaient.

Cronberg descendit de cheval et s'approcha. Il vit clairement des hommes indiquer aux rebelles quelles maisons attaquer.

Soudain, il tressaillit. Un inconnu lui avait posé la main sur l'épaule et criait quelque chose en arabe. Il lui mit un violent coup de tête et s'enfuit, abandonnant son cheval derrière lui. Il courut aussi vite que possible, s'assurant qu'il n'était pas suivi. Mais les voix se rapprochaient. Elles venaient maintenant de plusieurs directions. Le quartier français n'était pas loin. Le rejoindrait-il à temps ?

S'orientant au bruit que faisait la foule, il se glissa de rue en rue jusqu'à arriver en dessous de la rue Dupetit-Thouars. Des larmes de rage lui montèrent aux yeux : là encore, il arrivait trop tard. L'allée devant lui était couverte de débris. Un corps était étendu sur le sol. Il s'approcha, et le retourna : c'était Testevuide, le chef des ingénieurs géographes, battu à mort, au point que son visage était difficilement identifiable. Glissant la main sous son gilet, il constata que son cœur ne battait plus.

— Mais qu'est-ce qu'il nous arrive ?

Il se souvint que la maison de Caffarelli était tout près de là et, abandonnant le géographe pour lequel il ne pouvait plus rien, s'y précipita.

La rue était elle aussi déserte et portait les traces de l'émeute. Cronberg craignit le pire. Les portes de la maison étaient grandes ouvertes.

La cour avait été dévastée. Les murs portaient des traces d'impacts de balles, des éclats de plâtre traînaient sur le sol. Les fontaines avaient été saccagées et l'eau se répandait au milieu de la cour. Le jardin était couvert des débris d'objets scientifiques et d'instruments de mesure que Caffarelli avait entreposés chez lui. Les émeutiers avaient détruit ce qui permettait aux savants de Bonaparte de mieux comprendre leur pays, de faire de cette conquête une expédition scientifique. Ce gâchis absurde fit presque monter les larmes aux yeux de Cronberg.

Il poussa la porte de la maison principale, qui grinça un peu, craignant de trouver le cadavre du général à l'intérieur. Il n'y avait aucun corps dans les pièces du rez-de-chaussée, mais elles étaient aussi désolées que le reste. Tous les livres étaient éventrés, les pages déchirées. Les meubles étaient cassés, des bouteilles de vin avaient été brisées et leur contenu projeté sur les murs. Là encore, des traces de bataille étaient visibles.

Cronberg entendit soudain un gémissement. Il semblait monter du sous-sol de la maison. Il se dirigea vers l'escalier qui y menait, en faisant attention à rester silencieux. La plainte se fit plus forte. Il descendit, marche après marche, et cria.

— Où êtes-vous ? Qui appelle à l'aide ?

— Je suis en bas, blessé. D'autres hommes sont avec moi, mais je crois qu'ils sont tous morts…

— Je remonte chercher une bougie et je reviens.

En bas, équipé d'une lampe à huile, il retrouva vite l'homme qu'il avait entendu. Il était livide, la main serrée sur son ventre d'où coulait un sang vermeil. Le corps d'un Arabe gisait non loin de lui.

— C'était une foule furieuse. Nous étions cinq. Ils nous ont poursuivis. J'ai été blessé le premier, et c'est sans doute ce qui m'a sauvé. Ils se sont ensuite jetés sur les autres et les ont massacrés.

Il s'arrêta pour reprendre son souffle.

— Nous n'avions que trois fusils. Nous en avons abattu quelques-uns, mais c'était impossible de les contenir tous.

— Et où sont les autres ?

— Un peu plus loin. Il y avait les deux ingénieurs. Heureusement, M. Caffarelli était parti en inspection avec le général.

Cronberg s'enfonça dans le sous-sol. Près d'un soupirail, il trouva les corps des deux ingénieurs. Il reconnut l'un des deux, un nommé Duval, tué d'un coup de couteau en pleine poitrine. Les émeutiers s'étaient en revanche beaucoup plus acharnés sur le second, dont le visage n'était plus qu'une bouillie sanglante. Les corps des deux autres soldats étaient tout proches et pareillement abîmés. Le combat avait été rude et sans pitié.

Il retourna vers le blessé.

— Vous les avez trouvés ?

— Oui. Tout le monde est mort. Ça a dû être terrible…

— C'était une ruée. Nous n'avons rien pu faire.

Il avait l'air de souffrir.

— Monsieur, demanda-t-il à Cronberg.

— Oui ?

— Pourriez-vous…

Les mots devenaient plus difficiles à dire.

— Pourriez-vous me monter jusqu'à la cour ? J'aimerais mourir dehors.

Cronberg jugea indigne de mentir au soldat en niant sa mort prochaine. Il ne répondit pas et le prit dans ses bras. L'homme était lourd. Il tenta de raffermir sa prise sans lui faire mal et remonta l'escalier. Ses muscles étaient tendus par l'effort. Arrivé dans la cour, il le déposa contre les ruines de la fontaine. Il partit sans savoir s'il était mort.

Le bruit à l'extérieur de la maison devenait de plus en plus intense et paraissait maintenant venir de tous les côtés.

Cronberg ne savait pas si Bonaparte était rentré de son inspection, ni même s'il avait été prévenu du massacre qui s'annonçait.

— L'Institut, se dit-il. Bon Dieu, s'ils vont à l'Institut ?

Il fallait qu'il s'y rende. Autour de lui, gisaient les corps des Égyptiens tués pendant l'assaut de la maison. Du pied, il retourna un des cadavres, mais son flanc avait été percé d'une balle qui l'avait inondé de sang.

Il en retourna un second. Celui-ci avait eu la tête explosée, mais ses habits étaient intacts. Cronberg les enleva en frissonnant, se souvenant qu'il avait dû faire la même chose à Binasco. Puis il enleva le turban d'un troisième cadavre et le noua autour de sa tête. L'odeur de poudre et de sueur qui imprégnait le tissu lui donna un haut-le-cœur. Sous la gallabieh, il pensa à garder ses habits français : s'il se faisait prendre, ça ne changerait pas grand-chose, mais s'il croisait des troupes amies, cela pourrait lui être utile.

Ainsi déguisé, il ressortit dans la rue et se dirigea vers l'Institut. Suivant le bruit de l'émeute, il arriva très vite dans une rue où la foule se massait. Les tueurs, armés de bâtons et de couteaux, hurlaient des slogans dont il comprit vite qu'ils étaient anti-Français. Au-dessus, on pouvait percevoir les voix des muezzins qui excitaient toujours la foule.

Cronberg talonna un groupe qui allait dans la même direction que lui. En passant devant un des postes de garde, il vit deux soldats égorgés. L'un d'eux n'avait plus que sa chemise. Plus loin, il aperçut un uniforme planté sur une pique.

Les scènes de pillage étaient de plus en plus nombreuses. Une fois les magasins éventrés, la foule entrait dans les maisons. Cronberg vit des hommes désigner les demeures des Français aux émeutiers. De temps en temps, des coups de feu partaient d'une fenêtre et un rebelle tombait. Cela enflammait les autres, qui se précipitaient vers la porte de la maison et l'enfonçaient.

Il arriva dans le quartier des boutiques. La foule piétinait, trop absorbée par le pillage. Cronberg suivit un groupe d'hommes dans un magasin. Beaucoup repartaient après avoir glissé sous leur gallabieh un morceau d'étoffe ou un sac d'épices. Les étals étaient renversés, des bagarres éclataient entre pillards. La plupart ne criaient plus, occupés seulement à se servir. Certains étaient venus avec leurs femmes et leurs enfants et les renvoyaient chargés de marchandises.

Personne ne faisait attention à Cronberg, protégé autant par la cupidité qui l'entourait que par son déguisement. Il repéra au fond de la boutique une porte, qui ouvrait sur le dédale des ruelles du marché. Dehors, il n'y avait personne. Il se mit à courir, pressé d'arriver à l'Institut avant les émeutiers.

Quand il y fut enfin, il ôta sa gallabieh et frappa à la porte.

— Vite, ouvrez.

— Qui êtes-vous ?

Cronberg déclina son identité. Trois fusils étaient braqués sur lui.

— Laissez-le entrer.

C'était Conté.

— D'où venez-vous ?

— De la rue. Ils sont devenus fous. Ils ont pillé le quartier des boutiques, détruit la maison de Caffarelli. Je pense qu'ils vont venir ici. Ils s'en prennent à tout ce qui est français...

— Mais qu'est-ce qu'ils veulent ?

— Je ne sais pas. Ça a commencé ce matin. Je crois que les mosquées les incitent à se révolter. Ils ont goûté au sang et ça les a rendus fous.

— Le sang de qui ?

— Duval et l'autre ingénieur, chez Caffarelli.

— Thévenot ?

— Sans doute. Je ne le connaissais pas. Plusieurs soldats aussi. Et dans la rue, je crois qu'ils égorgent tous les Blancs.

— Qu'allons-nous faire ?

Les autres occupants de l'Institut les avaient rejoints.

— Nous n'avons rien pour nous protéger, reprit Conté. Il y a trois soldats, nous six et quelques élèves des écoles.

Cronberg regarda la grande maison, l'imaginant saccagée comme l'avait été celle de Caffarelli.

— Il faudrait renforcer le bâtiment.

Les savants étaient accrochés à ses lèvres, prêts à faire tout ce qu'il leur dirait. Même Jomard semblait attendre ses ordres avec docilité. Il y avait là Dolomieu et Berthollet, Geoffroy Saint-Hilaire et Denon, Conté, bien piètre armée en fait.

— Essayez d'obstruer le plus possible les portes et les fenêtres, qu'ils ne puissent pas entrer. Prenez les meubles, fermez les volets, bloquez ce que vous pouvez.

Les savants s'éparpillèrent. Dolomieu et Berthollet s'essayèrent à pousser une grosse armoire, sans arriver à la faire bouger et demandèrent leur aide à Geoffroy Saint-Hilaire et Jomard, qui la leur accordèrent sans rechigner.

— Combien d'armes avons-nous ? demanda Cronberg à Conté.

— Une douzaine de mousquets.

— Il faut les distribuer. Prenez-en et donnez le reste aux élèves.

— Mais ils sont très jeunes…

— Vous les préférez morts ?

Conté fit venir les jeunes. Ils avaient entre quinze et dix-sept ans et portaient d'un air gauche des habits auxquels ils n'étaient pas habitués.

— Nous allons vous donner des armes. Vous savez vous en servir ?

Trois avouèrent que non.

— Nous n'avons pas le temps de les entraîner, dit Cronberg. Montrez-leur juste comment on tire, et ils feront comme les autres en tirant dans le tas. Heureusement, les foules que j'ai vues sont suffisamment denses pour qu'on ne prenne même pas la peine de viser.

Les portes avaient été bloquées. Dans les pièces encore intactes, les savants tentaient de protéger les fenêtres.

— Laissez une place pour passer un fusil.

Soudain, le bruit dans la rue devint intense.

— Les voilà.

Cronberg jeta un œil vers les fenêtres.

— Que tout le monde monte au premier étage, dit-il. Et que les jeunes se mettent aux fenêtres. Dès qu'ils seront entrés, tirez.

— Et après ? demanda Jomard, qui tentait de dissimuler le tremblement de sa main.

— Après ? dit Cronberg. Ce sera le moment de croire à l'Être suprême.

Les adolescents montèrent. Aucun ne semblait avoir peur. Plusieurs avaient même aux lèvres un petit sourire d'excitation.

Le brouhaha était devenu énorme, mélange de cris de haine et de hurlements de joie.

— On n'entend pas beaucoup de coups de feu, nota Conté. Ils sont relativement désarmés.

Les premiers coups commencèrent à ébranler la porte.

— Elle ne tiendra pas longtemps. Que chacun occupe une fenêtre. Il faut leur faire croire que nous sommes plus nombreux que nous ne le sommes en réalité.

La porte céda brusquement. La foule des émeutiers entra. Cronberg avait la main levée. Il la baissa quand une cinquantaine d'hommes eut pénétré dans la cour, regardant autour d'eux et se demandant où aller.

Les coups de feu éclatèrent presque tous en même temps. Plusieurs balles allèrent s'écraser contre le mur, l'une d'elles arrachant même son nez à une mauvaise reproduction de statue grecque.

Une bonne dizaine atteignirent leur but. Quelques hommes s'écroulèrent. D'autres, seulement blessés, se remirent à crier, sapant d'autant le moral des autres.

Cronberg perçut le vacillement de la foule. Vite, il ordonna à ceux qui avaient eu le temps de recharger de courir à une autre fenêtre. Une deuxième salve, moins nourrie que la précédente, fit à nouveau tomber quelques hommes.

Trois, quatre fois, ils exécutèrent la même manœuvre. Du camp des émeutiers quelques coups de feu partirent, mais personne ne savait trop où tirer.

— Que six d'entre vous redescendent et tirent des fenêtres d'en bas, ordonna Cronberg aux élèves qui se révélaient beaucoup plus vaillants que la plupart des savants.

Dolomieu, ce vieil aristocrate, s'était en particulier trouvé une encoignure de mur de laquelle il semblait déterminé à ne pas sortir.

— Regardez, Conté. La porte est ouverte, mais plus personne n'entre. Nous allons peut-être nous en sortir.

Un cri domina la foule. D'un coup, les émeutiers refluèrent. Un des jeunes faillit pousser un cri de soulagement, que Cronberg lui cloua dans la gorge.

En cinq minutes, la cour fut vide. Alors il se laissa aller à sourire.

— Je crois qu'ils sont partis.

Tous se mirent à crier leur enthousiasme. Deux des gamins fondirent en larmes, faisant sentir à tous la tension du moment.

— Dépêchons-nous de refermer les portes.

Cronberg se tourna vers Geoffroy Saint-Hilaire.

— Je me demande où ils sont allés. Savez-vous si Bonaparte est rentré de son inspection ?

— Il était à Rodah, non ? Je ne sais pas. On a dû le prévenir. Enfin, j'espère.

— Je n'ai aucune idée de ce qui se passe à l'extérieur. Ah, si nous pouvions avoir des nouvelles ! Peut-être devrais-je me renseigner. Seriez-vous capables de commander ces jeunes troupes ? Installez-en quelques-uns là-haut et renforcez la surveillance aux fenêtres. Je ne vois pas bien ce que nous pouvons faire de plus : évacuer tout le monde serait imprudent, tant que nous ne savons pas ce qu'est la situation dehors.

Cronberg attrapa un sac, dans lequel il glissa ses « habits » égyptiens.

Il poussa la porte de l'Institut et mit un pied à l'extérieur. La rue était dévastée. On avait l'impression qu'une tempête y était passée. Des meubles jetés par les fenêtres, les corps de Français abattus et souvent dépouillés, quelques Arabes tombés à côté de leurs victimes… L'air était plein d'une odeur de poudre. Le bruit lui parvenait maintenant des rues avoisinantes, indistinct, par intermittence. Cronberg se dirigea vers le centre du quartier français où se trouvait la maison de Bonaparte. Il enfila une rue, puis une autre, et entendit une fusillade. Il se faufila de maison en maison.

Et à son grand soulagement, il tomba sur un bataillon d'infanterie. Au bout de la rue, les insurgés avaient construit une barricade. Des meubles, une charrette, des bouts de bois avaient été entassés les uns sur les autres. La fusillade était peu nourrie, les insurgés étant surtout équipés d'armes blanches. Devant le tas de bois, quelques corps déjà s'étaient abattus. Sur les toits et depuis les balcons, les gens lançaient ce qu'ils trouvaient sur les troupes, et des armoires comme des ustensiles de cuisine tombaient sur les soldats, qui tiraient en l'air vers les fenêtres.

Deux d'entre eux se tournèrent vers Cronberg, baïonnette au canon. Sébastien cria en français.

— Qui commande ici ? demanda-t-il, du ton le plus autoritaire qu'il put.

— Bon. Il est là-bas, près des canons.

— Bon ? Ce n'est pas Dupuy ?

— Dupuy a été tué.

La nouvelle stupéfia Cronberg : c'en était donc là. Dupuy était le responsable de la place.

Trois gros canons avaient été apportés. Le général Bon était à la manœuvre. Il s'avança vers lui.

— Mon général ?

Bon le reconnut.

— Cronberg ? Je suppose que vous tombez bien, même si nous n'avons guère besoin de civils.

— On vient de me dire que Dupuy a été tué.

— Hélas ! Parmi les premiers, je crois... Il est mort au QG, dans les bras de Larrey... Et l'annonce de sa mort a galvanisé ces brutes... Foutez-moi ce canon, là, en face ! Je veux que vous me ratissiez cette canaille... Il était sorti dans la rue, comme tout le monde. Il a voulu tenter une échappée par la cité des Morts avec la 32e demi-brigade. Mais on ne pouvait déjà plus passer. Rue des Vénitiens, il a chargé. Barthélemy le Grec était là. Ils ont tiré sur la foule, que cela a mise en rage, et Dupuy s'est trouvé cerné en moins de deux. Un coup de lance a suffi.

— Combien sont-ils ?

— Aucune idée. J'ai parfois l'impression que toute la ville est contre nous...

— Et le général ?

— D'après ce qu'on m'a dit, il serait rentré à toute allure, mais serait bloqué hors de la ville.

— À quoi est-ce que je peux vous être utile ?

Une balle siffla d'un coup entre les deux hommes.

— Les salopards ! Heureusement qu'ils ont peur des armes à feu. Mais ceux qui en ont tirent depuis les toits. Vous deux ! Montez là-haut et délogez-moi ce tireur.

Sur un balcon, deux soldats se battaient avec un Égyptien. Ils le prirent à bras-le-corps et le jetèrent par-dessus bord.

— Voilà ! C'est comme ça que je veux qu'on les traite, cria Bon. Continuez.

Les canons étaient en place.

— Dégagez les toits à la baïonnette : nous ne savons pas de combien de munitions nous aurons besoin, reprit Bon, dont la voix commençait d'être enrouée à force de crier dans le vacarme.

Le premier obus fut tiré trop haut et passa au-dessus de la barricade, suscitant de nouveaux tirs et des cris de haine.

Le deuxième, en revanche, atteignit son but. Des éclats de bois volèrent partout, et les cris de douleur des hommes blessés emplirent la rue. Il y eut comme un moment de flottement. Un nouvel obus tomba près du premier, réduisant encore plus la barricade. Et les Égyptiens commencèrent à refluer.

— Suivez-les et dégagez-moi la rue ! hurla Bon.

Les soldats se ruèrent. Cronberg récupéra un sabre sur un mort et courut avec eux.

Les Égyptiens qui fuyaient se marchaient les uns sur les autres, certains piétinés. Les soldats à cheval qui les rattrapaient sabraient la foule. L'étroitesse des rues, qui avait piégé les Français, empêchait maintenant une retraite sûre.

Bon rappela ses lieutenants. Les soldats avaient arrêté de courir.

— Que chacun d'entre vous prenne un canon et dégage les rues. Nous sommes mieux équipés. Envoyez des hommes regrouper les unités qui sont en ville et engagez-les : il faut faire sauter ces verrous.

Une sentinelle arriva à ce moment.

— Le général est rentré. Il veut savoir ce qu'il en est ici.

— Monsieur Cronberg, vous cherchiez quoi faire. Iriez-vous rendre compte au général ?

— Volontiers.

— Vous, donnez-lui un cheval.

Un des soldats sauta de sa monture et la tendit à Cronberg. Il monta dessus et suivit l'homme à pied. Certaines rues étaient bloquées, d'autres non. Plusieurs maisons étaient ouvertes. Dans la rue des Vénitiens en particulier, les bâtisses appartenant à des juifs et à des Grecs avaient été dévastées.

— C'est par là.

Cronberg aperçut enfin toute une division de soldats, au milieu desquels se trouvait Bonaparte. La troupe s'écarta devant les deux hommes.

— Cronberg ! s'écria Bonaparte. D'où venez-vous ?

Il tenait son chapeau à la main et était couvert de poussière. Les gouttes de sueur dessinaient comme des larmes sur son visage.

— Mon général. Comment êtes-vous entré ?

— J'ai dû m'y reprendre à trois fois : on m'a refoulé par le Vieux Caire et près de l'Institut. C'est par la porte de Boulaq que j'ai finalement pu passer. Cronberg, qu'est-ce que c'est que ce bordel ? Et d'où arrivez-vous ?

— J'étais avec le général Bon. Il a fait évacuer la rue Ibn-Khaldoun en bombardant la barricade et essaie de regrouper les unités égarées dans la ville.

— Bonne chose. Il faut rétablir les liaisons entre nous. Mes généraux se sont laissé piéger. Nous devons reprendre l'avantage. Suivez-moi, Cronberg. Nous allons installer notre quartier général ici.

Il entra dans la maison d'un juif, qui avait été pillée. La femme et le fils aîné de la maison avaient été tués et le père, hagard, laissa les soldats s'installer chez lui sans réagir.

Un officier héla Bonaparte.

— Mon général, vous êtes là !

— Ah, Junot, enfin. Il faut arrêter la rébellion avant la nuit. On devait m'apporter une carte du Caire. Où est-elle ?

L'ordre remonta, et un petit homme accourut, les bras chargés de papiers.

— J'ai pu trouver cela.

Bonaparte fouilla dans le tas, jeta par terre ce qui ne l'intéressait pas, prit une carte.

— Les Bédouins profitent de ces troubles pour tenter une percée dans la ville et ont attaqué plusieurs des nôtres au pied des murailles. La chose la plus urgente est de les empêcher de faire la jonction avec les insurgés. Trouvez Lannes et Dumas : qu'ils mettent des bataillons tout autour de la ville. Et qu'ils me renvoient au désert tous les Arabes qui se présentent aux portes. Nous ferons le tri demain. En même temps, nous allons forcer les insurgés à se regrouper. Il faut les bloquer pour mieux les écraser. Mais pour ça, il faut dégager Ezbekiyya. Junot, vous me faites ça et vous placez des canons de façon à couvrir toutes les rues qui y mènent. Allez !

L'énergie de Bonaparte débordait sur ses hommes.

— Cronberg, vous savez où est Bon ? Retournez le voir, dites-lui d'intensifier ses efforts. Vous me servirez de liaison. Allez, tous ! Et n'oubliez pas : la nuit peut être fatale ! Il faut que le maximum soit fait avant que le soleil ne se couche.

Cronberg repartit vers Bon. L'ardeur et la confiance du général l'avaient galvanisé.

De son côté, Bon avait progressé. Après avoir dégagé la première rue, il avait fait exploser une deuxième barricade. Petit à petit, les Français regagnaient du terrain.

Cronberg lui transmit les ordres de Bonaparte.

Il grommela de satisfaction.

— Allez-lui dire que ce sera fait. Dites-lui aussi que l'un de ses amis cheiks s'est fait molester.

— Lequel ?

— El-Sadat. La foule l'a reconnu alors qu'il s'enfuyait. Ils l'ont rasé, l'ont habillé avec l'uniforme d'un soldat français et l'ont vendu au marché.

— Vendu au marché ? Mais ils sont fous !

— Treize piastres, dit-on. Ça ne fait pas cher l'ami de la France.

Cronberg refit le chemin en sens inverse et entra dans la pièce où Bonaparte était maintenant entouré d'une bonne dizaine de ses généraux.

— Cronberg ! Alors, Bon ?

— Il fait ce qu'il faut. Savez-vous qu'ils ont arrêté et vendu El-Sadat ?

— Vendu ? Mais c'est du délire !

— Général ?

— Oui ?

— Je crains pour la vie des autres membres du Diwan. M'autorisez-vous à aller vérifier s'ils n'ont pas été inquiétés ?

— Bonne idée : il serait peut-être judicieux de s'assurer qu'ils sont toujours tous bien de notre côté... Mais pas maintenant, Sébastien, j'ai encore besoin de vous. Attendez la nuit, quand tout sera en place.

Et Sébastien attendit, très inquiet pour ses amis.

Chapitre 15

Quand la nuit commença à tomber, les hommes se regroupèrent autour de leurs officiers. La situation était bloquée dans beaucoup d'endroits, et aucun des deux camps n'avait pris d'avantage définitif. Nombre de barricades avaient été détruites, mais plusieurs s'étaient reformées plus loin. La population s'était jointe de plus en plus nombreuse aux insurgés et les troupes françaises n'avaient pas partout réussi à faire leur jonction. Par endroits, deux unités étaient séparées l'une de l'autre de seulement quelques ruelles, rendues infranchissables par la masse des rebelles.

Cronberg rongeait lui aussi son frein, se demandant ce qui avait bien pu arriver à la famille de Bakri. Les visages de Lotfi et Zaynab se succédaient dans son esprit. Décidément, cette fille l'avait, sinon séduit, du moins étonné.

— J'espère que nous n'allons pas vivre des vêpres égyptiennes, Sébastien, dit Bonaparte.

— Je ne crois pas, mon général. Les musulmans n'aiment pas se battre après la tombée de la nuit. Ils vont plutôt se préparer à réattaquer demain.

— Vous voilà devenu expert en tribus sauvages ?

— Cette ironie est indigne de vous. Vous avez vous-même pu admirer et apprécier la culture de ces…

— Leur culture ? Leur culture ? Vous me parlerez de leur culture quand nous aurons renvoyé ces hordes dans leurs gourbis. En attendant, je ne vois là que des barbares prêts à nous égorger comme ils ont égorgé vos pauvres amis, et incapables de comprendre que nous agissons dans leur intérêt. Si ce brave Rousseau voyait cela, je pense que ses idées de bon sauvage lui passeraient…

Cronberg ne répondit pas. Quand Bonaparte était de mauvaise foi, il valait mieux acquiescer.

— Je souhaite néanmoins que vous ayez raison, Sébastien. Cela nous permettra au moins d'élaborer un plan d'action. Je veux une réunion des généraux dans une heure. Vous serez de la partie.

— Vous m'aviez dit…

— Vous irez après. Je veux d'abord que notre plan soit au point.

Les derniers rayons de lumière caressèrent les minarets, maintenant silencieux. Pendant une heure, Bonaparte resta à scruter l'horizon. Cronberg était à ses côtés, se demandant lui aussi si, contrairement à ce qu'il avait affirmé, les hordes armées n'allaient pas en profiter pour déferler sur eux.

Quand la nuit fut solidement établie, Bonaparte réunit enfin les généraux. Il les fit entrer dans la pièce où était toujours étalée la carte du Caire. Du doigt, il montra plusieurs des portes de la ville.

— La première chose à éviter est de permettre que la rébellion de l'extérieur se joigne à celle de l'intérieur. Il est vraisemblable que les Bédouins vont essayer de rentrer par ces portes, que nous ne tenons pas. Il faut à tout prix interdire leur regroupement. Dumas, où en êtes-vous ?

L'immense mulâtre, dont la face d'un noir de jais était barrée d'une large moustache, prit la parole.

— Vaux, Lannes et moi avons installé de nombreux détachements tout autour de la ville. Nous avons déjà repoussé plusieurs attaques. Nous continuerons de le faire. Il semble heureusement qu'ils soient peu à profiter de la nuit pour tenter une percée.

— Bien. Renforcez les postes que vous défendez. Prenez des hommes ici. Tenez, Sulkowski, vous allez trouver des troupes et rejoindre le général.

Il avait souri à l'aide de camp, qui se rengorgea de cette faveur.

— Nous ne pouvons maîtriser ce dédale qu'est la ville. Il faut repousser les insurgés vers un quartier et les y contenir. Nous n'en aurons pas raison autrement... Dommartin, vous allez monter avec des canons sur le Moqattam. Vous y installerez vos batteries, entre Qoubbey et la citadelle. De là, nous tiendrons al-Azhar. C'est de cette mosquée qu'est partie la révolte. C'est elle qu'il nous faudra abattre. Quand la majorité des insurgés se sera rendue dans le quartier, nous le bombarderons sans pitié. Je veux aussi que l'on double les postes de surveillance. Partout. Étonnamment, la nuit semble calme. Réveiller les canons pourrait nous faire plus de mal que de bien. En revanche, que des hommes seuls aillent s'approcher des barricades et essaient de les dégager à l'arme blanche. Je vais aller dormir trois heures. Que l'on me réveille à une heure, et avant si quoi que ce soit bouge.

Il partit, sans regarder les hommes à qui il avait pourtant réussi à redonner confiance. Les généraux se dispersèrent. Sébastien considéra que cela lui laissait le temps d'aller chez El-Bakri. Il n'avait que quatre rues à franchir. Deux avaient été dégagées et devraient être accessibles.

Il reprit le sac dans lequel il avait mis ses vêtements arabes et chercha de quoi se maquiller le visage. Un peu de terre et d'eau lui servirent à fabriquer de la boue qu'il se colla sur le visage. Cela ne tenait pas très bien, mais le rendrait sans doute moins visible dans le noir.

Il franchit sans encombre le premier barrage. Le spectacle de la rue était désolant : de la barricade des débris de bois avaient été projetés au loin. Les corps n'avaient pas été retirés et beaucoup, touchés par les obus et les grenailles, étaient en morceaux. Cronberg s'approcha d'un soldat et lui demanda un état des lieux.

— C'est calme. On dirait qu'ils se préparent. Il n'y a que quelques lueurs là-bas, mais trop loin pour qu'on les débusque.

Deux « nettoyeurs » partis inspecter les rues adjacentes apparurent.

— C'est dégagé ? demanda Sébastien.

— Les deux rues suivantes, oui. Dans la deuxième, nous en avons fini trois au couteau. Au-delà, ils étaient trop nombreux.

Cette lente reconquête semblait porter ses fruits. Régulièrement, des éclaireurs revenaient et des hommes étaient envoyés garder les rues ainsi reconquises.

— Je dois rejoindre la maison d'El-Bakri. Vous voyez où elle est ?

— Oui. Il y a une rue difficile à passer, celle qui est juste avant. Après, la leur est dégagée, mais elle a été dévastée.

L'inquiétude naquit à nouveau dans le cœur de Cronberg.

— Il y a eu des victimes ?

— Je ne sais pas. Vous voulez tenter le coup ?

— Je vais essayer, oui.

Cronberg s'enfonça dans la première ruelle. Elle était à peine blanchie par la lueur de la lune. Il fallait faire attention en marchant tant il y avait de débris par terre.

Assez vite, il se retrouva à l'entrée de la rue d'El-Bakri.

Les choses devinrent plus difficiles. Contrairement à ce qu'avait dit le soldat, il y avait encore quelques groupes d'insurgés, beaucoup endormis. Ceux qui étaient éveillés étaient réunis autour de feux.

Cronberg jeta un œil sur les toits. La rue était trop large pour espérer passer de l'un à l'autre. Du côté droit, il y avait une barricade encore dressée, derrière laquelle devaient se trouver des Français, sur sa gauche deux petits groupes d'insurgés. La maison d'El-Bakri était au milieu de la rue, presque en face de lui. Une impasse passait à sa gauche : c'était elle qu'il devait atteindre. De là, par le mur, il devrait pouvoir entrer.

Il posa son sac, en ôta ses vêtements arabes et se chargea. Rabattant sur lui sa capuche, il s'avança. Personne ne bougea. Il s'astreignit à ne pas accélérer le pas, évitant aussi de regarder vers le feu.

Soudain, le grondement d'un chien le fit sursauter. Le Caire était rempli de chiens errants, à qui cette nuit d'émeute avait donné de nombreuses occasions de se régaler. Celui qui s'était arrêté devant Cronberg était petit, jaune. Il aboya une ou deux fois. Sébastien n'osait plus avancer.

Il entendit qu'on parlait dans son dos, en arabe.

Il se retourna. Un des hommes près du feu s'était levé. Il tenait à la main une pierre et s'adressait à Cronberg. Il n'était pas encore agressif, mais attendait visiblement une réponse.

Cronberg leva la main. L'homme aussi, et, d'un coup, il jeta la pierre. Elle atteignit le chien à la patte, qui recula en gémissant. Le tireur se mit à sourire et secoua à nouveau la main vers Cronberg, qui fit de même. Puis, sans répondre, il continua sa route, le souffle un peu court.

Mais il atteignit la ruelle d'en face sans que personne d'autre bouge.

Il s'arrêta un moment pour reprendre son souffle, repéra l'endroit où un arbre laissait tomber une branche assez basse, s'y agrippa et, après un rapide rétablissement, se retrouva sur le mur.

La maison avait été attaquée mais pas détruite. Le jardin était piétiné, des meubles avaient été renversés. Une lampe, quelques plats gisaient dans la fontaine.

Il s'avança, hésitant. Ne sachant qui était là, il n'osait se montrer : quoi de plus bête que d'être abattu par un soldat français parce qu'il aurait été pris pour un émeutier ?

Une porte s'entrouvrit. Il vit la silhouette d'un des domestiques qui dit, suffisamment bas pour n'être entendu que de lui :

— *Min dâ*[1] ?

C'était en arabe, mais Sébastien comprit, et répondit comme il le put.

— *Ana Sébastien Cronberg, el françawi. El cheik mawgud*[2] ?

1. « Qui est là ? »
2. « Je suis Sébastien Cronberg, le Français. Le cheik est là ? »

Le domestique fut soudain poussé de côté et El-Bakri apparut.

— Sébastien, c'est vous ? C'est bien vous ? Mais entrez, entrez donc ! Comment êtes-vous arrivé là ?

Sébastien s'engouffra dans la maison. Bakri avait allumé une lampe à huile. Il était pâle, habillé de façon très simple. Derrière lui, la grande pièce était en désordre.

— Vous voyez ce que ces sauvages ont fait. Ils sont arrivés en bande, comme des brutes. J'ai essayé de parlementer, mais ils ont voulu faire le tour de toute la maison pour vérifier qu'il n'y avait pas de Français. Ce faisant, ils ont détruit tout ce qu'ils pouvaient. Et puis ils sont repartis vers d'autres champs de bataille, presque aussi vite qu'ils étaient venus. Tout cela parce que j'ai essayé de créer un lien entre nous... Mais vous, que venez-vous faire ici ?

— Prendre de vos nouvelles. Tout a été tellement soudain, tellement violent. Vous savez que vous avez eu beaucoup de chance, malgré tout ? Vous avez entendu ce qu'ils ont fait à El-Sadat...

— Vendu au marché pour treize piastres, m'a-t-on dit. C'est vraiment incroyable.

— Comment vont vos enfants ?

— Les filles sont enfermées au harem, et je ne les en laisse pas sortir. Lotfi est absent : je suis très inquiet. Je suppose qu'il s'est réfugié quelque part.

— Mais comment avez-vous évité qu'ils s'en prennent à vous ?

— Le pillage semblait leur suffire. J'ai eu la chance de tomber sur des profiteurs plutôt que sur des politiques. Et le bruit qu'ont fait vos canons les a fait fuir. J'ai vu qu'il en restait quelques-uns dans la rue. Mais ils se tiennent tranquilles. Et puis je ne me suis pas défendu. Nous n'avions pas d'armes, je leur ai ouvert la maison. Je ne sais pas. Mais ils m'ont effectivement épargné. Et vous ?

Cronberg raconta un peu ce qui s'était passé.

— Mon Dieu, c'est terrible. Mais venez, venez, descendons au harem. Je me sens plus en sécurité auprès de mes filles, tant que Lotfi n'est pas revenu...

Malgré la gravité du moment, Sébastien ne put s'empêcher de sourire. Il avait entendu parler pour la première fois des harems en lisant *Les Mille et Une Nuits*, et beaucoup fantasmé depuis sur ces réservoirs de femmes offertes au bon plaisir de leur propriétaire. Même si le piquant de la séduction était exclu, cela devait quand même être plus satisfaisant que les bordels dont il lui arrivait d'être client...

Aussi était-ce le cœur battant qu'il y pénétra. La déception fut à la hauteur de l'attente. Dans une pièce pas très propre et où régnait une odeur animale, quatre femmes plus très jeunes étaient installées, deux d'entre elles jouant aux échecs, les deux autres affalées sur des coussins et exhibant un embonpoint très excessif. Les plafonds étaient noircis par la fumée des bougies et deux petites araignées tissaient leurs toiles dans une encoignure. El-Bakri rit beaucoup de son désappointement :

— À quoi vous attendiez-vous, cher ami ? Un harem est trop cher pour mes maigres deniers, et devoir tous les soirs choisir parmi les mêmes quatre femmes est presque aussi ennuyeux que de n'en avoir qu'une. Allez chez le Grand Turc, si vous voulez des splendeurs orientales. Mais ici, on se contente de ça.

Il fit quand même enlever leurs voiles aux femmes présentes, qui apparurent seins nus.

— Rassurez-vous, mon ami, poursuivit Bakri, toujours riant. Nous avons nous aussi nos ressources. Et ce que nos femmes ne font pas, nos almées le font.

Les quatre femmes étaient accompagnées de Zaynab et de ses sœurs. Elle adressa à Cronberg un sourire purement de circonstance. « Décidément, se dit-il, je ne sais ce qui s'est passé, mais nous voilà bien loin de cette balade en barque... » Les autres se précipitèrent vers leur père, se tordant les mains et geignant en arabe. Bakri tenta de les apaiser et ordonna à Zaynab de préparer du thé.

— Ces filles, c'est infernal. Ah, Sébastien, ne vous laissez pas aller à renoncer au célibat...

— Je n'oublierai pas ce conseil, sourit Sébastien. Avez-vous eu des nouvelles des autres membres du Diwan ?

— Non.

— Je crois qu'il serait bon que vous montriez au général que votre groupe est toujours fidèlement à ses côtés. Car vous l'êtes ?

El-Bakri tressaillit.

— Bien sûr. Comment pouvez-vous en douter ?

— Je n'en doute pas. Je veux juste être sûr de ce que je vais pouvoir répéter.

— Vous êtes donc venu en mission, pour tester notre fidélité ?

— Du tout.

Sébastien se récria, soudain désolé qu'on pût se méprendre sur ses intentions.

— Je suis venu de mon propre chef. Mais demain risque d'être une journée compliquée. Même si nous contenons la rébellion, on vous demandera de choisir très clairement votre camp et de faire votre possible pour nous aider à apaiser les tensions.

El-Bakri se tut.

Sébastien reprit :

— Pensez-vous pouvoir entrer en contact avec les insurgés ? Ce serait en tout cas un excellent moyen de démontrer votre utilité aux deux camps, de nous aider sans paraître tourner le dos aux vôtres.

— Ces vandales ne sont pas les miens ! Ce sont des voyous égarés, qui ne savent guère ce qu'ils font et obéissent à des ulémas inconscients.

— Justement ! Intervenez et reprenez l'avantage sur eux.

Bakri prit des mains de Zaynab le plateau qu'elle venait d'apprêter.

— Croyez-vous vraiment que c'est possible ?

— Qui pourrait s'y opposer parmi vos amis ? Un bouleversement pareil ne pourra que laisser des traces. Continuer en faisant comme si rien ne s'était passé n'est pas une solution.

— Al-Jabarti, qui en veut souvent aux Français des bouleversements qu'ils apportent dans nos mœurs, ou El-Mahdi, notre secrétaire, qui se sent souvent très proche du peuple, seront peut-être un peu plus indécis. Mais je ne crois pas que quiconque s'oppose à vous. Nous avons choisi de faire partie de cette institution pour être à vos côtés, y compris dans les moments difficiles.

— Eh bien alors ?

— Je leur en parlerai demain, si les circonstances le permettent. Peut-être effectivement pouvons-nous essayer de jouer les intermédiaires ?

Un cri fut soudain poussé dans l'escalier, et le domestique précéda de peu Lotfi qui venait de regagner la maison.

— Mon fils ! s'écria El-Bakri en arabe, sautant sur ses pieds en renversant presque Sébastien. Où étais-tu ? Comment as-tu fait ?

À peine le jeune homme était-il arrivé en bas de l'escalier que son père l'enlaçait, tandis que les femmes se précipitaient en glapissant.

Lotfi se laissa embrasser par ses sœurs, avant de découvrir Sébastien.

— Sébastien ? Mais...

Il parut décontenancé et repoussa sa sœur qui le regarda, surpris.

— Mais que faites-vous là ?

Quand il s'approcha, la lumière des lampes permit de voir que ses vêtements étaient en lambeaux, couverts de poussière, et qu'il portait des traces évidentes de lutte.

— Et vous-même ? Qu'est-ce qui vous est arrivé ?

El-Bakri intervint.

— C'est vrai, mon fils, qu'est-ce qui t'est arrivé ? Tu as l'air de... Tu t'es battu ?

Lotfi se jeta sur un des coussins.

— J'ai été coincé... Nous avons été coincés par les émeutiers, pas loin de la rue Dupetit-Thouars. Ils s'en sont pris à nous, nous accusant d'être du côté des Français.

— Mais comment t'en es-tu sorti ?

— Des... Des soldats sont arrivés à temps, heureusement. Ils ont tiré sur la foule. Mais plusieurs d'entre nous avaient déjà été molestés. Nous avons eu beaucoup de chance. Ils étaient trois ou quatre contre moi, mais aucun n'avait d'arme à feu. J'ai pu m'en tirer, mais comme tu le vois, avec quelques dommages.

— Et les autres ?

— Ils sont passés aussi. Mais il devient impossible de circuler : les rues sont bloquées. Quand ce n'est pas par les émeutiers, c'est par les Français, et plus personne ne peut bouger.

El-Bakri paraissait tout ému. Il touchait le bras de son fils, comme pour s'assurer qu'il était bien là.

— Père... Ce n'était qu'une échauffourée. J'en ai connu d'autres en France. Vous étiez là, Sébastien, le 16 fructidor, quand les royalistes ont tenté de s'en prendre aux triumvirs...

— Et que les armées de Hoche sont entrées dans Paris ?

— Ça, c'étaient des combats !

— Vous y étiez ?

— Mais oui, bien sûr ! Et j'ai donné du coup de poing avec autant d'ardeur que les autres. Toute l'École de santé est descendue dans la rue et s'est heurtée aux royalistes. Plusieurs d'entre nous ont été blessés. Il y a même eu quelques morts...

— Mais moi aussi, j'y étais, s'écria Cronberg. Pas avec les médecins, mais avec les journalistes qui n'étaient pas royalistes et qui ont précipité leurs confrères dehors jusqu'à les conduire en prison...

Et les deux hommes éclatèrent d'un rire joyeux, qui parut tout à fait incongru dans la sombre pièce où il résonnait.

— Tu ne m'as jamais raconté ça..., se plaignit Bakri.

Alors Lotfi narra les combats de rue de ces deux longues journées, la crainte que l'armée ne suive celle de Moreau, vendu aux royalistes, les arrestations des journalistes et officiers royalistes, la proscription de Carnot et la joie du dernier soir, dans les clubs jacobins où Lotfi et Cronberg s'aperçurent qu'ils s'étaient peut-être croisés. Et il naquit soudain, ici, dans ce harem vieillot, entouré de ces femmes pas très belles et qui se tenaient en retrait, un moment rare, une sorte de pause heureuse dans la tourmente dont les trois hommes semblèrent en même temps sentir le charme puissant.

Sébastien, le premier, s'étira et se leva.

— Nous ne pouvons pas rester ici. Cela barde encore dehors. Il faut que je regagne le QG de Bonaparte. Cheik, n'oubliez pas ce que vous m'avez promis. Et vous, Lotfi, soyez prudent…

Avant qu'on puisse le retenir, comme s'il devait se forcer pour partir, Sébastien remonta à l'étage. Dans le salon dévasté, il commença à ramasser quelques-uns des objets qui étaient tombés par terre.

— Vous voulez que je vous aide à ranger ce désordre ? demanda-t-il à son hôte, qui l'avait suivi.

Bakri le regarda, l'air très ému.

— Volontiers. Cela m'est très pénible en fait. Je pourrais demander aux domestiques, mais je n'en ai pas envie. Nettoyer tout cela effacera un peu de ce cauchemar.

Il commença à ramasser quelques bibelots, à les poser sur les meubles qu'ils redressaient.

À deux, ils remirent d'aplomb une petite armoire, et les quelques pièces de vaisselle qu'elle contenait et qui avaient été épargnées.

Sébastien alla près d'un secrétaire, qui avait été ouvert et commença à ranger divers papiers dessus.

Et soudain il se figea : il tenait une liasse de feuillets, dont le papier était exactement le même que celui de la lettre qu'il avait portée à Bonaparte.

Et, sur l'un d'entre eux, deux lignes écrites de la même main que celle de la lettre.

Chapitre 16

Sébastien glissa aussitôt la lettre dans sa poche. Étourdi, il s'assit.

— Ça ne va pas ? demanda El-Bakri.

— Si, si, pardon, juste la tête qui tourne un peu...

Il se relevait déjà et recommença à ramasser les papiers. Il trouva plusieurs feuilles de la même origine, mais plus aucun qui soit marqué de la moindre ligne.

— Vous écrivez parfois en français ? demanda Sébastien à son hôte.

— Non, jamais. Je n'en serais pas capable. Nos caractères sont trop différents et les fautes que je fais à l'oral s'y multiplieraient.

— Et vos enfants ?

— Je ne sais pas. Mais je doute que Lotfi, même s'il est très adroit pour le parler, l'écrive avec la même aisance. Quant aux filles, elles le bafouillent à peine...

Les papiers étaient maintenant rangés. Sébastien, extrêmement troublé, s'affaira quelques instants encore.

— Je suis rassuré de vous savoir en bonne santé. Je vais devoir retourner auprès de Bonaparte. Il se fait réveiller à une heure, et il serait bon que je sois là.

— Sébastien, je ne saurais vous dire à quel point votre visite m'a touché. Je tenterai demain de réunir le Diwan et de montrer au général que nous sommes des alliés.

— Avez-vous une idée de qui peut bien être derrière ces émeutes, à part les gens d'al-Azhar ?

— Non. Ce sont eux, les ulémas, je pense, les ulémas de rang inférieur.

On sentait tout le mépris de Bakri pour ce statut.

— Ces chiens ne sont contents de rien. Ils ne savent qu'aboyer et exciter les foules. Après, c'est la populace qui entre en lice. Et vous voyez le résultat !

Cronberg enfila une fois encore ses vêtements arabes. Il salua le cheik et repartit par où il était venu, traversant sans encombre la rue où même les gens autour du feu paraissaient s'être endormis. Ce relâchement lui parut curieux : Bonaparte à leur place aurait au contraire profité au maximum de la nuit et n'aurait pas quitté les armes avant que tout ne soit réglé.

Il rentra un petit quart d'heure avant que le général ne se soit réveillé. Dès qu'il fut debout, les officiers encore présents se réunirent. En chemise, tête nue, ses longs cheveux retombant comme les oreilles d'un épagneul le long de son visage que la fatigue ne marquait pourtant pas, il réitéra ses ordres et vérifia que les communications entre les groupes s'étaient améliorées.

— Avez-vous vu vos amis du Diwan ? demanda-t-il à Cronberg.

— Oui, mon général. Ils n'ont que peu souffert et m'ont réaffirmé leur volonté de nous aider.

— Ils feraient bien. Ils m'ont peu convaincu jusque-là, pour ne rien vous cacher…

Ils se tournèrent vers Venture.

— Comment expliquez-vous que nos amis affirment leur docilité, tandis que ces religieux s'en prennent à nous ?

— Les grands cheiks du Diwan et les ulémas moins importants ne réagissent pas de la même manière. Regardez l'inspection des maisons : les cheiks ont réussi à faire baisser l'impôt et ont considéré cela comme une victoire. Mais les ulémas ont toujours estimé que cet impôt n'aurait pas dû être payé du tout par les musulmans, qu'il soit bas ou élevé. Et ce sont eux qui sont dans les mosquées et qui font passer le message auprès des jeunes. Ils ont appelé au djihad et nous n'avons pas entendu parce que nous ne comprenions pas ce qui se dit dans les mosquées.

— Voulez-vous dire que nous sommes impopulaires, Venture ? Mais regardez, dans les quartiers où nous sommes installés, nos voisins sont venus à notre secours. Et les cheiks du Diwan ont contrôlé leurs arrières : El-Bakri tenait Ezbekiyya, Al-Fayyoumi a contenu Abdîn et Qusun. Ce sont des quartiers qui ont été moins pillés que les autres.

— Ce sont des zones où il y avait aussi beaucoup de soldats…

— Justement : leurs habitants ont pu voir que nous ne sommes pas des monstres. Et les grands cheiks ont pu montrer leur autorité morale, dont nous n'avons peut-être pas assez joué.

— Je pense, mon général, qu'il faut au contraire éviter de nous aliéner le peuple en maintenant un lien trop étroit avec ces grandes autorités morales. C'est lui qui a parlé, et nous ne pouvons pas l'oublier.

— Vous êtes trop pessimiste, Venture. Nous allons montrer au peuple ce qu'il en coûte de s'en prendre à nous, et cet épisode ne se reproduira plus.

Puis il retourna se coucher pour deux heures.

— Ne craignez-vous pas qu'il laisse le temps à l'insurrection de se développer en ne la réprimant pas tout de suite ? demanda Cronberg à Venture.

— Il sait ce qu'il fait. Souvenez-vous du 13 vendémiaire. Là aussi, il a pris son temps pour installer l'artillerie et ensuite foudroyer le centre de la révolte. Là aussi, on lui avait reproché de tergiverser.

— Vous avez sans doute raison. Mais je ne peux m'empêcher d'être inquiet. Je sens entre nous et les Égyptiens une incompréhension grandissante, et je ne suis pas sûr que l'écrasement militaire de cette révolte, s'il a lieu, résolve vraiment le problème.

Sébastien étouffa un bâillement.

— Allons dormir. Nous serons bientôt sur le pont, et qui sait pour combien de temps.

Venture acquiesça.

*

* *

Cronberg se réveilla en sursaut, après trois heures d'un sommeil lourd.

Bonaparte était de nouveau dans la pièce des cartes.

— Ah, vous voilà ! Ces salopards n'ont pas attendu longtemps pour se remettre en route.

Un homme entra, porteur d'une dépêche. C'était Sulkowski, qui salua froidement Cronberg, mécontent de le voir là. Bonaparte l'ouvrit.

— C'est de Lannes : les Bédouins sont dehors, qui attendent l'occasion d'entrer, et nous ne bloquons pas toutes les portes. Il y a des endroits où ils se sont regroupés. Pas partout heureusement.

D'une main, il griffonnait un papier.

— Portez ça au général, Sulkowski, et essayez de me rapporter d'autres renseignements. Il faut à tout prix éviter que les Bédouins ne pénètrent dans la ville.

Il se tourna vers Sébastien.

— Je crois qu'ils font du bon travail.

Puis, sans transition :

— J'aime bien ce garçon. Il est rare que des aides de camp aient sa vivacité.

Les nouvelles se succédèrent. L'insurrection était toujours violente. Des Bédouins avaient pu rejoindre les insurgés et leur prêtaient main-forte. À Boulaq, le feu s'était déclaré.

Cronberg était descendu dans la rue. On entendait au loin les combats, mais la zone qui protégeait le quartier français s'agrandissait. Il faisait la liaison entre Bonaparte et l'extérieur quand il le pouvait et rongeait beaucoup son frein. Il aurait voulu se battre, mais le général s'y était opposé.

— Je voudrais garder certains de ceux qui me sont proches à mes côtés, Sébastien.

Était-ce une intuition ? Une estafette vint apprendre au général que Sulkowski avait péri lors d'une sortie.

Bonaparte resta coi. Le bas de son visage frémit, comme s'il allait se mettre à pleurer. Puis, soudain, il explosa de colère.

— Allons-nous être le jouet d'une populace barbare, de la tourbe le plus brute et la plus sauvage du monde ? s'écria-t-il. Devrons-nous sacrifier encore les meilleurs d'entre nous pour combattre quelques hordes de vagabonds ?

Venture, qui avait entendu la nouvelle, avait affreusement pâli. Cronberg lui posa la main sur l'épaule.

— Comment vais-je lui dire ? demanda-t-il à Sébastien, soudain terriblement fragile. Ma fille… Elle a dix-huit ans et elle est déjà veuve…

Par comble de malchance, c'est à ce moment-là que quelqu'un vint prévenir Sébastien de l'arrivée des membres du Diwan.

Il sortit pour les voir. Bakri lui serra la main.

— Nous avons pu venir tôt ce matin. Comme promis : nous voici.

Lotfi était avec eux. Sébastien fut étonné de le voir. Le jeune homme envisageait-il peut-être d'intégrer à son tour l'institution ? Cette idée réjouit Cronberg.

— Merci d'avoir tenu votre promesse, cheik. Je vais prévenir le général.

Croyant bien faire, Sébastien retourna vers Bonaparte.

— Général, nos amis du Diwan sont là.

La délégation s'était avancée. Mais Bonaparte, encore sous le coup de la mort de Sulkowski, se mit soudain à éructer.

— Qu'est-ce que vous venez faire ici ? Vous ne savez pas ce qui se passe à l'extérieur ? On tue les meilleurs d'entre nous, et ce sont les hommes que vous étiez supposés contrôler qui le font. Où étiez-vous quand tout a explosé ? Qu'avez-vous fait depuis ? Vous êtes le gouvernement égyptien, que je sache. Mais que veut dire un gouvernement qui ne peut rien empêcher, rien faire ?

Il y eut un lourd silence.

El-Bakri prit alors la parole, plus digne qu'il ne l'avait encore jamais été dans cette institution.

— Nous sommes justement venus pour vous proposer d'agir en gouvernement, général. Et nous savons très bien ce qui se passe dehors : l'un d'entre nous a été rasé, humilié et vendu comme esclave. Les maisons de plusieurs autres ne sont plus que cendres, et ce sont les nôtres qui ont fait cela. Donc, oui, nous savons très bien ce qu'il en est.

Sa dignité impressionna tout le monde, sauf Bonaparte. Son mépris était pénible, écrasant : on était bien loin de l'homme qui faisait l'éloge du Coran et prônait l'amitié entre les deux peuples. C'était tellement patent que Sébastien crut bon d'intervenir, au risque d'attiser la colère du héros d'Italie.

— Le général est très troublé par cette révolte, qui contredit beaucoup de ce qu'il a voulu faire pour ce pays ; mais soyez sûrs qu'il vous garde toute sa confiance et que ses propos dépassent sa pensée.

— J'aimerais le croire, Sébastien, eut le courage de répondre Bakri.

— Il faut le croire, père, dit Lotfi. Le général Bonaparte a essayé de rapprocher nos deux peuples, a affirmé à plusieurs reprises sa grande intelligence de notre culture. Et voilà que des émeutiers fanatisés mettent son rêve à bas. On s'énerverait pour moins que ça...

Cronberg fut reconnaissant à Lotfi de cette intervention, qui parut emporter l'accord du cheik.

— Je crois que vous avez raison, mon général. Nous avons chacun notre tâche à accomplir, reprit-il. La nôtre est de prendre contact avec les insurgés et d'essayer de les convaincre de renoncer à cette folle entreprise. Nous sommes venus vous proposer notre aide. Et croyez bien que, dans ce contexte, le simple fait de venir vous voir est déjà une preuve de courage et d'engagement...

Bonaparte se radoucit.

— Il est effectivement temps, messieurs, que le gouvernement de l'Égypte se fasse entendre. Essayez d'entrer en contact avec nos ennemis, et obtenez d'eux un cessez-le-feu immédiat. Nous serons indulgents.

Les membres du Diwan s'inclinèrent et sortirent. Bonaparte fit signe à Cronberg de les suivre.

Ils parlaient en arabe, mais Sébastien comprit qu'ils choisissaient ceux qui allaient tenter de se rendre à al-Azhar pour rencontrer les insurgés. Trois furent choisis : El-Bakri, El-Mahdi et Al-Jabarti. Les autres paraissaient soulagés de se tenir plus en retrait.

Lotfi restait avec eux.

Cronberg, qui s'était décidé en entendant sa tirade sur Bonaparte, s'avança vers lui.

— Est-ce que je peux vous poser une question ?

— Bien sûr, Sébastien.

— Ce papier vous dit-il quelque chose ?

Il scrutait la réaction de Lotfi, mais ce dernier retourna la feuille entre ses doigts sans paraître autre chose que perplexe.

— Non, pourquoi ? Le devrait-il ? De quoi s'agit-il ?

— C'est sans doute le brouillon de la lettre que les Bédouins qui m'ont enlevé m'ont demandé de porter au général.

— Le brouillon ?

Un sourire éclaira le visage du jeune Égyptien.

— Cela veut donc dire que vous tenez l'auteur de cette lettre...

— Pas encore, hélas.

— Et où l'avez-vous trouvée ?

Cronberg hésita encore. Ne risquait-il pas de... Non, il regarda Lotfi. Il pouvait lui faire confiance.

— Chez vous.

Le visage de l'Égyptien se défit.

— Chez moi ? Comment cela, chez moi ?

— Quand, avant de partir, j'ai aidé votre père à ramasser quelques objets, je suis tombé sur ce papier...

— Vous le lui avez montré ?

— Non. J'étais estomaqué et ne savais pas trop que lui dire.

— Cela signifierait que des gens de ma maison ont partie liée avec ceux qui vous ont enlevé ?

— C'est une hypothèse. Une hypothèse sérieuse, malheureusement...

— Mais qui ?

— Je ne sais pas. J'étais moi-même stupéfait.

— Moins que moi, je vous assure.

— Vous ne voyez pas du tout d'où cela peut venir ?

Lotfi réfléchit intensément. Cronberg se tut, attendant.

— Il y a beaucoup de passage à la maison, et vous savez que l'attitude à observer face aux Français est un sujet de discorde fréquent entre nous. Je mentirais en vous disant que nos amis et notre famille approuvent tous le rôle que joue mon père au sein du Diwan. Il y a eu des discussions violentes. Mais j'ai du mal à croire que quelqu'un ait pu bafouer à ce point notre hospitalité. Venir chez nous et écrire ce texte terrible... Cela veut dire que c'est de notre maison qu'aurait pu être organisé votre enlèvement ?

— Et qu'aurait pu être décidé de mettre ce cadavre pestiféré au Diwan.

— Ça me paraît invraisemblable. Mais…

— Mais… ?

Lotfi regarda Cronberg.

— Pouvez-vous me faire confiance, Sébastien ?

— Ne viens-je pas de le faire ? Nul, à part vous et moi, n'est au courant de l'existence de ce brouillon.

— Laissez-moi quelques heures… Je pourrai peut-être vous en dire plus, mais il faut que je me renseigne un peu et je ne voudrais pas…

— Que quelqu'un de proche souffre de cette enquête ?

— Oui. Enfin, peut-être. Je ne sais pas. Vraiment, Sébastien, je suis dans le noir le plus total…

— Mais vous avez peut-être une idée…

— Laissez-moi un peu de temps. Je vais chercher. Tout ce qui se déroule autour de nous en ce moment ne va pas non plus faciliter la tâche. Promettez-moi simplement de ne rien entreprendre tant que je ne vous ai pas donné signe de vie.

Sébastien réfléchit.

— Vingt-quatre heures. Je vous laisse vingt-quatre heures. Sinon, je devrai rendre publique cette pièce à conviction.

— Je comprends. Et je vous remercie.

Les deux hommes se serrèrent la main.

*

* *

Les membres du Diwan revinrent vite, trop vite, de leur mission de conciliation. S'ils avaient pu atteindre sans encombre al-Azhar, ils n'avaient guère pu parlementer : d'emblée leur tentative d'approche avait été interprétée comme une preuve de faiblesse.

— Mais qui sont-ils ? pestait Bonaparte.

— Les ulémas d'al-Azhar. Enfin nous le supposons : ils ont refusé de nous recevoir.

— Ils nous ont même tiré dessus, glapit Al-Jabarti.

— Refusé de vous recevoir, vous, le gouvernement légitime de ce pays ! Mais leur impudence est sans bornes.

Il tapa violemment sur la table, dispersant l'ordonnancement des cartes.

— Bien. J'ai suffisamment attendu. Messieurs, je vous remercie de vos bons services, mais vous demande de partir. Il faut que je m'entretienne avec mes chefs de guerre. Nous n'avons plus d'autre moyen de mettre fin à ce désordre.

Dès le départ des cheiks, Bonaparte reprit la main.

— Je craignais cette fâcheuse issue, mais on ne pourra pas dire que je n'ai pas tout essayé. J'ai envoyé à Dommartin l'ordre de mettre en place ses canons et d'attendre mon signal. Ce signal vient de partir.

Depuis la veille au soir, les communications entre les différents corps d'armée avaient été rétablies.

— Nos troupes ont bien travaillé. La plupart des barricades ont été réduites, et le gros des rebelles est autour d'al-Azhar. Le feu des Français va s'abattre sur eux.

Il fallut dix minutes seulement avant que ne se fasse entendre le bruit du premier canon. Puis ce fut l'enfer. Plusieurs autres batteries se mirent en branle, qui toutes tirèrent en même temps.

Grenades et boulets s'abattirent par centaines sur les quartiers où se trouvaient les insurgés. Les maisons se fracturaient, les plus fragiles s'écroulaient. Les gens avaient à peine le temps d'en sortir. Les plus courageux tentaient d'extraire des décombres ceux qui y étaient coincés, mais c'était sous le feu de nouveaux boulets.

Des troupes de grenadiers avaient pris position dans les rues adjacentes aux quartiers visés et tiraient sur tous ceux qui tentaient de fuir. Des familles entières se repliaient rapidement, laissant souvent un ou deux morts sous les balles des grenadiers. Dans la rue Goumourieh, dans la rue Samarieh, les bâtisses tombaient les unes après les autres.

Croyant y être plus en sûreté, beaucoup tentaient d'atteindre al-Azhar. Mais ceux qui y étaient déjà installés les repoussaient, pour éviter d'y être trop nombreux. Alors les fuyards retournaient sur leurs pas, où ils tombaient sur les baïonnettes françaises. Les corps s'écroulaient les uns sur les autres. Des obus frappaient les foules ainsi repoussées. Autour de la mosquée, un nuage de fumée obstruait la vue et faisait tousser. À l'arrière, trois autres boulets transpercèrent le toit, faisant pleuvoir sur les occupants des pierres qui écrasèrent quelques personnes.

Au quartier général, Bonaparte restait impassible. Il recevait les rapports réguliers des troupes.

Un soldat qui passait et connaissait Cronberg lui dit :

— C'est atroce ce qui se passe là-bas. Des familles sont enterrées sous les décombres. On les entend crier, mais personne ne peut rien faire.

À six heures, le tonnerre éclata. Un instant, son bruit couvrit celui des canonnades, interloquant jusqu'aux plus aguerris tant l'événement était rare dans la ville.

— Dieu est donc bien avec nous, sourit Bonaparte, qui n'avait rien laissé paraître depuis deux heures.

Dans les quartiers de la ville qui n'étaient pas attaqués par le bombardement, le tonnerre eut un effet formidable, et les derniers insurgés vinrent rendre les armes. La terreur superstitieuse achevait ce que n'avait pas fait la mitraille.

Même à al-Azhar, ce dernier coup du sort acheva de convaincre les plus rebelles. Une délégation sortit, armée d'un drapeau blanc. Alors que les bombardements continuaient, ses membres atteignirent l'avant-poste français et demandèrent à voir le général. Un messager courut au quartier général et Bonaparte accepta de les recevoir.

À leur entrée, chacun put sentir leur fatigue et leur désespoir. Ils avaient le visage sale et noirci. Quand ils virent Bonaparte, ils tombèrent à genoux et baisèrent le sol. Puis l'un d'entre eux assura le général qu'ils étaient prêts à capituler. Venture traduisit sa demande, la chargeant malgré lui d'un ton de supplique auquel tout le monde crut que le chef allait céder.

Mais il n'en fut rien. La vision des perdants à terre sembla redonner toute sa rage au conquérant.

— Il n'en est pas question. Vous avez refusé ma clémence quand je vous l'offrais. L'heure de votre châtiment a sonné. C'est vous qui avez commencé ce désastre, mais c'est moi qui le finirai. Raccompagnez ces messieurs d'où ils viennent.

Les soldats entourèrent la délégation, qui se relevait.

— Et j'ai bien dit d'où ils viennent : pas question de les laisser s'enfuir. Vous les ramenez à la mosquée.

L'un des insurgés regarda Bonaparte.

— Vous ne croyez quand même pas que nous allons tenter d'échapper à la mort quand elle nous attend au milieu des nôtres.

Le vaincu parut à ce moment plus grand que le vainqueur.

*

* *

Pendant deux heures encore le bombardement continua. Cronberg, à qui Bonaparte avait intimé l'ordre de ne pas bouger, ne tenait plus en place. Huit heures sonnèrent.

Un soldat porta un message à Bonaparte.

« *Général*, écrivait Dommartin, *les insurgés sont sortis de la mosquée. Ils sont à terre et demandent miséricorde. La rébellion est morte.* »

Alors Bonaparte permit enfin que cesse la canonnade.

— Allez dire au général Dommartin de cesser le feu. Sébastien, puisque je vous sens piaffant, allez à al-Azhar donner le même ordre et vérifier que soient arrêtés les fauteurs de troubles.

Sébastien se précipita. Le spectacle quand il arriva était encore pire que ce qu'il avait imaginé. Autour d'al-Azhar, plus une maison ne semblait intacte. Des débris de bois et de pierre jonchaient toutes les rues. Les balcons étaient tombés, certains entraînant des gens avec eux. On entendait de nombreux cris sortir de sous les ruines, et des volontaires, trop rares, commençaient à dégager les victimes. Derrière les lignes françaises, des dizaines de corps transpercés par les baïonnettes étaient entassés. Les femmes et les enfants n'avaient pas été épargnés.

Quand la fumée qui l'entourait se dissipa, on put voir que la mosquée était très endommagée. Ses portes étaient tombées, et des ruisseaux de sang coulaient le long de ses marches.

Des groupes de prisonniers étaient tenus en joue. Cronberg s'approcha de Bessard, le chef du détachement.

— Ils sont tous là ?

— Non, il y en a encore dedans.

À ce moment, une balle siffla aux oreilles de Cronberg, pendant qu'une autre frappait un soldat qui s'écroula.

— Là-haut, regardez !

Une silhouette accroupie se détachait sur le minaret. Les derniers rebelles étaient dans les hauteurs. Certains tiraient d'en haut, d'autres attendaient les soldats à l'entrée et les attaquaient à l'arme blanche.

— Dix hommes avec moi. On va déloger ces salopards. Les autres, emmenez les prisonniers ailleurs ! cria Bessard, qui reprit son arme et s'avança vers l'entrée de la mosquée.

Cronberg y pénétra à sa suite. La mosquée était un champ de bataille. Les bombardements avaient déchiqueté les moucharabiehs, maculé les murs. Il y avait des corps partout, et l'on pataugeait dans le sang.

Ce fut un nouveau massacre. Les insurgés étaient épuisés, et l'énergie que leur donnait ce sursaut désespéré ne dura qu'un instant. Supérieurs en nombre, les Français les traquaient et les abattaient. Plusieurs furent précipités du haut du minaret, et leurs corps désarticulés s'écrasèrent dans la rue, tombant sur les cadavres qui déjà la pavaient.

Ces combats sporadiques prirent rapidement fin. Cronberg suivit Bessard, puis accompagna les troupes fraîches qui allèrent dégager les restes des barricades.

Il rentra faire son rapport. D'autres l'avaient précédé, et l'on sentait Bonaparte rasséréné. Les arrestations se multipliaient, et les maisons françaises servaient de prisons, bourrées d'émeutiers et de civils dont tous n'avaient pas, loin de là, été pris les armes à la main.

— Il va falloir nettoyer les rues et creuser des fosses communes. J'ai demandé que l'on entasse les cadavres puis qu'on les amène à la cité des Morts. Nous avons déjà la peste, ce n'est pas la peine de multiplier les foyers d'infection. J'aimerais que vous regardiez cela, Sébastien. Demain. En attendant, allez dormir !

Cronberg alla s'allonger. Quand il s'éveilla, le jour commençait à poindre. Il s'habilla et partit vers al-Azhar. La fumée s'était dissipée, mais les décombres envahissaient toujours les rues, et quelques hommes seulement, des Égyptiens encadrés de Français, commençaient à les nettoyer. Ils jetaient dans de grands feux tout ce qui pouvait brûler. Le bois était mis à part et les pierres réunies. Sur des charrettes s'entassaient des corps dont beaucoup sentaient déjà la putréfaction.

Cronberg commença à mettre en place l'évacuation des corps, la première difficulté étant de trouver des véhicules pour les transporter. Des chiffres circulaient : on parlait de trois cents Français tués et de dix fois plus d'Égyptiens.

Vers huit heures, un détachement de soldats apparut au bout de la rue. Cronberg crut à la relève, mais ceux qui avaient passé la nuit ici ne partaient pas. Il vit le général Bon se rapprocher de la mosquée, puis descendre de son cheval.

— Bonjour, mon général. Vous venez assurer la relève ?

— Non, monsieur.

Bon était l'un des plus cérémonieux parmi les généraux, et ce trait lui valait, outre quelques moqueries, une injuste réputation de froideur.

— Je viens tout casser dans la mosquée. Plus jamais ce bâtiment n'abritera une rébellion et ses responsables comprendront l'erreur qu'ils ont faite.

Cronberg le regarda, éberlué.

— Allez-y, cria-t-il à ses hommes. Démolissez-moi tout ce que vous pouvez !

Les hommes s'engouffrèrent, certains à cheval, et attachèrent leurs bêtes au poteau sacré qui indiquait la direction de La Mecque avant de se précipiter dans la cour intérieure et vers les enceintes privées. Pendant deux heures, ce fut un pillage systématique. Les lampadaires et les veilleuses furent brisés, les coffres à livres des étudiants ouverts et vidés. Les soldats cassaient pour casser, jetaient à terre et piétinaient tout ce qu'ils pouvaient piétiner, ne respectant ni les objets ni les corps qui gisaient sur le sol. Certains déféquèrent sur le sol, d'autres s'emparèrent d'exemplaires du Coran et pissèrent dessus. Un homme surgit parmi eux, hurlant, tentant de leur arracher les livres, les traitant de vandales et de brutes. Cronberg, entendant le bruit, se précipita. Il eut juste le temps d'arracher Marcel aux mains des soldats qui avaient commencé à le frapper. L'imprimeur était à terre, le corps replié en position fœtale, un exemplaire du Coran souillé serré entre ses bras.

— Jean-Joseph ! Que faites-vous là ?

— Ils n'ont pas le droit. Ces livres sont sacrés, même pour nous. Les détruire est monstrueux. Quel rapport cela a-t-il à voir avec ces émeutes ? À quoi cela sert-il ?

Il bafouillait, son émotion se mêlant aux larmes que la douleur lui arrachait. Sébastien obtint avec peine que les hommes le lâchent et lui laissent une dizaine de Corans.

L'ambiance était explosive : la peur, la fatigue, l'autorisation donnée aux soldats de se laisser aller avaient mis tout le monde à cran. Lorsque Sébastien sortit, une troupe vint apposer des affiches près de la mosquée. Soufflant le chaud et le froid, Bonaparte venait d'accorder l'aman[1] à tous ceux qui n'avaient pas été pris les armes à la main.

Mais dans la mosquée le massacre continuait.

C'est pendant ce massacre que l'un des soldats vint chercher Sébastien.

— Monsieur Cronberg, on vous demande.

— Qui ça ?

— Un Égyptien, monsieur.

— Un Égyptien ? Il n'a rien dit ?

Cronberg aperçut Lotfi, que deux soldats tenaient en joue.

— Laissez, leur dit-il. Je connais ce monsieur. Lotfi, que voulez-vous ? Venez, venez.

Conscient de tout ce qu'avait de barbare cette destruction punitive, Cronberg tenta de la justifier.

1. Vie sauve accordée au vaincu à condition qu'il respecte la volonté du vainqueur.

— On... Nos soldats traquent les derniers rebelles. Certains se sont réfugiés là-haut, dans les combles...

— Ils doivent être bien nombreux pour justifier une telle action...

Lotfi paraissait bouleversé. Mais il se reprit vite.

— Ce n'est pas pour cela que je viens vous voir. J'ai fait une enquête auprès de mes domestiques. Il semble... Il semble que l'on ait beaucoup abusé de la confiance de mon père.

Les mots semblaient difficiles à sortir, tant la honte submergeait le jeune homme. Sébastien, qui ne savait comment lui faciliter la tâche, l'entraîna un peu au-delà de la mosquée, d'où s'échappaient encore des hurlements et des bruits de destruction.

— Notre maison, sans doute parce qu'elle était a priori insoupçonnable, était fréquentée en notre absence par un cousin à moi. C'est un personnage assez brillant, qui lui aussi a appris le français, même s'il le parle moins bien que nous. Il venait toujours en notre absence et y était rejoint par quelques hommes, parmi lesquels notre domestique a reconnu l'uléma de sa mosquée. Un domestique, ça ne compte pas chez nous, aussi ne se gênaient-ils pas pour comploter devant lui. Il a entendu parler d'armes, de révolte, de chasser les Français. Je suis passé chez ce cousin aujourd'hui : il n'a pas été vu chez lui depuis trois jours et sa femme, bouleversée, avait très peur qu'il ne soit allé à al-Azhar.

— Ce serait donc lui qui... ?

— Je le pense. Je ne sais où il est. Je crois que vos hommes ont été assez...

Il chercha le mot.

— ... déterminés dans la répression. Il n'était pas du genre à fuir ses responsabilités, et je parierais même qu'il est parmi les victimes. Je ne sais où vous gardez les corps, mais s'il m'était possible de les voir, peut-être le reconnaîtrais-je…

— Mais il y en a beaucoup. Ils sont en plusieurs tas. La tâche me paraît très aléatoire.

Le regard de Lotfi était suppliant.

— S'il vous plaît. L'honneur de ma famille est en jeu, et j'aimerais vraiment pouvoir le laver ici, avec vous.

Pendant deux heures, Lotfi fouilla dans les tas de cadavres, retournant les corps, cherchant son cousin. Près de quatre cents morts. Il ne trouva personne.

Sébastien, pendant ce temps, continuait de s'occuper du chargement et de l'envoi au cimetière des corps, attendant que Lotfi les ait vus pour donner le signal du départ.

Quand une dizaine de charrettes furent ainsi parties, il parut tellement désemparé que Cronberg lui proposa :

— Peut-être voulez-vous aller voir dans la mosquée elle-même ?

Une bonne cinquantaine de dépouilles gisaient encore dans leur sang. Lotfi s'avança, en retourna un ou deux, passa parmi eux.

Soudain, il se figea et appela Sébastien.

— Là, venez vite. Là, là.

Il montrait le cadavre d'un homme assez jeune, élancé, dont un obus avait arraché un bras et qui sans doute s'était vidé de son sang.

— C'est lui. Mahmoud, mon cousin. Mahmoud… Mais qu'es-tu venu faire là ? Il laisse quatre enfants, Sébastien, quatre enfants et une femme. Et il a sans doute entraîné avec lui deux de ses frères. Mon Dieu, quel gâchis, quel funeste gâchis !

Lotfi tomba soudain à genoux en sanglotant. Des soldats s'approchèrent, les yeux rougis par la fumée, agressifs, mais Sébastien leur intima d'un geste le silence.

Quand Lotfi se releva, il semblait avoir vieilli de dix ans.

— Pourrions-nous… Serait-il possible de récupérer le corps et d'éviter qu'il finisse à la fosse commune ?

C'était contraire à tous les ordres, mais Sébastien ne se sentit pas le cœur de refuser.

— Je donnerai des instructions en ce sens. Il sera porté chez vous.

Il regarda le cadavre. Mahmoud avait sans doute été beau et était soigné : la coupe de sa barbe et de ses cheveux, ses mains aux ongles taillés l'indiquaient. Son visage s'était figé en une grimace de haine et de rage mêlées. Ainsi c'était là l'homme qu'il avait traqué, celui qui avait réussi à implanter la peste parmi les troupes françaises, celui qui l'avait fait enlever et avait indirectement condamné Seydoux à ce supplice atroce.

Il regarda autour de lui la mosquée détruite. Tout cela était-il fini ? La révolte était-elle morte avec ce bain de sang ?

Chapitre 17

Sébastien jeta un coup d'œil sur la cour de la citadelle. Bonaparte était là, entouré seulement de Caffarelli et Venture. Dix jours s'étaient écoulés depuis la fin des émeutes. La ville offrait encore un visage dévasté, surtout dans le quartier d'al-Azhar où les ravages subis par la mosquée paraissaient irréparables.

— Ah, Sébastien...

Bonaparte se tourna vers lui. Il était habillé comme s'il ne s'était pas couché depuis trois jours.

— J'ai tenu à ce que vous soyez là. Vous avez joué dans ces émeutes un rôle remarquable et nous avez permis de maintenir un contact avec le Diwan.

— Diwan que vous avez défait, mon général.

— Il a surtout prouvé son inefficacité et ne s'est guère racheté en collaborant avec nous du bout des doigts quand je l'ai mis au pied du mur.

— C'est quand même grâce à lui que nous avons réussi à identifier les six hommes qui sont là.

Cronberg repensa au jeu de dupes auquel s'étaient livrés Bonaparte et le Diwan. La répression avait été dure. Les membres de la tribu de Bédouins qui avait participé à l'émeute furent rattrapés par Barthélemy le Grec, qui les fit décapiter, puis empila leurs têtes dans des sacs pour mieux les exposer à Ezbekiyya. Bon exécuta tous les prisonniers. Bonaparte demanda ensuite aux cheiks de lui trouver les noms des coupables restants. Ces derniers avaient d'abord voulu tergiverser, mais s'étaient vite rendu compte que le général en chef savait déjà de qui il s'agissait.

— C'est un piège que vous tend Bonaparte, avait prévenu Cronberg en parlant à El-Bakri. Si vous refusez de lui parler, il arrêtera quand même les ulémas responsables. Dites-lui ce qu'il sait déjà, mais essayez d'adoucir leur sort.

Bakri avait suivi le conseil de Cronberg. Onze ulémas avaient été désignés. Cinq étaient en fuite et condamnés à mort par contumace. Les six autres avaient été livrés à la justice. Bakri avait négocié qu'ils soient traités selon leur rang, et avait même obtenu qu'ils soient incarcérés, non en prison, mais chez lui.

C'était eux, les six, qui se tenaient dans un coin de la cour, solidement gardés.

— Je vous ai demandé de venir pour que vous rapportiez à vos amis du Diwan ce que vous allez voir.

— Voir ? Voir quoi ? Vous allez...

— ... appliquer la sentence à laquelle ces hommes ont été condamnés, oui.

— Comme cela, au petit matin, clandestinement ? Ne vouliez-vous pas plutôt faire un exemple ?

— J'ai choisi autant que possible d'être généreux dans cette affaire. Mais certaines choses doivent aller au bout. Il faut faire mourir ces hommes sans les transformer en martyrs et jeter ainsi les graines d'une nouvelle émeute. Que justice soit rendue, mais discrètement : on ne nous accusera ni de faiblesse ni de barbarie...

Il leva la main. L'un après l'autre, les six cheiks furent décapités d'un coup de sabre ferme et net. Aucun ne laissa paraître d'émotion, ni cris de lâcheté ni inutile provocation.

— Voilà une chose désagréable de faite, dit Bonaparte. C'est le dernier acte de cette regrettable tragédie. Les têtes des chefs sont tombées. Cela, je crois, leur servira de leçon.

Cet optimisme exaspérait Cronberg. Toute l'armée semblait communier dans la même satisfaction insouciante, comme s'il ne s'était pas révélé au grand jour que la présence française était insupportable à beaucoup. Berthier en particulier allait partout clamant que la révolte n'avait été le fait que de « quelques malintentionnés qui avaient réussi à égarer la canaille ». Venture était plus lucide, mais il avait eu la sagesse de garder pour lui ses réflexions. Et la mort de son gendre l'avait de toute façon suffisamment affecté pour qu'il s'extraie de tous les débats.

Bonaparte avait étendu son pardon à tous les habitants du Caire, qui s'attendaient à une répression massive, mais il avait été impitoyable avec ceux pris en flagrant délit de pillage ou de rébellion armée, qui furent décapités sur-le-champ. Des mesures de sécurité supplémentaires furent prises : la discipline fut renforcée, les hommes durent toujours être armés, trois compagnies grecques furent créées pour assurer la sécurité fluviale. Les fortifications du Caire furent consolidées, et beaucoup des installations concentrées sur Rodah et Gizeh, îles extérieures à la ville. Enfin, le Diwan fut officiellement dissous, décision qui choqua Cronberg, mais sur laquelle Bonaparte demeura intraitable. Le gouvernement des provinces fut remis à l'autorité militaire. Bakri se montra très déçu de cette décision, et Lotfi y vit la marque d'un autocrate qui ne savait pas reconnaître les efforts des autres.

Commencèrent alors pour Cronberg des journées étranges, contrecoup de celles de l'émeute. Il ne savait que faire. Il avait trop circulé entre les deux camps, passant des Français aux Égyptiens puis des Égyptiens aux Français, pour savoir avec certitude qui avait raison. Les scènes de pillage et les meurtres de soldats se juxtaposaient dans sa tête aux massacres de la mosquée d'al-Azhar. Les événements qui agitaient Le Caire ne le touchaient plus.

Il resta un mois dans cet entre-deux, tentant de tromper son ennui en traînant au Tivoli et en accompagnant Denon dans les bordels que le vieux libertin continuait de chercher et parfois de trouver. Le dessinateur avait lui aussi été très marqué par les émeutes, mais cela n'avait fait que renforcer son dégoût des Arabes.

— Ces émeutes ont déchiré le voile philanthropique répandu sur l'Égypte. Il nous faudra désormais être les plus forts. C'est d'ailleurs un des principes de l'Alcoran. Les Arabes ont une vision trop mielleuse du catholicisme, et ce qui s'est passé leur montre ce qu'il en est vraiment, dit-il un soir à Sébastien, qui ne sut que lui répondre.

Les meilleurs moments de cette période furent ceux où Cronberg se rendait chez Bakri. Le cheik était désolé de l'arrêt donné au Diwan, tant pour l'influence dont il le privait que parce qu'il mettait en avant leur échec à tous. Lotfi était souvent là, et sa présence aidait beaucoup son père. Il revit aussi Zaynab, qui se départit un peu de sa réserve, et avec qui il eut quelques conversations. Mais jamais il ne lui fut à nouveau permis de l'accompagner à l'extérieur de chez elle, ce que cette fois il aurait volontiers accepté.

Personne ne semblait le noter dans l'entourage de Bonaparte de peur d'irriter le grand homme, mais les émeutes avaient brisé une illusion : celle de la possible union de deux peuples, celle de l'occupation acceptée et pacifique.

Les envies de quitter l'Égypte commençaient à devenir obsessionnelles chez certains. Même Berthier, le fidèle Berthier, y songea un moment avant de décider de rester. Sucy obtint de partir, mais mal lui en prit car il fut massacré avec ses compagnons par la population lors d'une escale du bateau en Sicile. Une aventure du même type arriva à Dolomieu, qui supportait de plus en plus mal l'autoritarisme de Bonaparte et avait signé un rapport sur les ruines d'Alexandrie qu'il avait fait précéder de la maxime : « *Tempus edax rerum* », « Le temps détruit les choses ». Cela avait irrité en haut lieu et l'autorisation de rentrer en France lui avait été donnée. « Il faut fâcher le général pour partir. Si vous le servez avec fidélité, vous restez », avait commenté avec amertume Jollois, qui avait lui aussi envie de rentrer. Dolomieu avait célébré sa bonne fortune avec un faste proche de l'impudence. Mais rien ne tourne plus vite que la chance : intercepté au large des côtes de l'Italie du Sud et mis en prison, il y avait passé des mois et avait été extrêmement maltraité. Enfin, le général Dumas, dont la quête des trésors mamelouks finissait par nuire à son engagement républicain, avait obtenu lui aussi de regagner la terre natale.

La nostalgie devenait envahissante dans presque toutes les conversations, rendant magnifiques aux yeux de ceux qui les évoquaient les plus triviales banalités de la vie en France. Même la reprise de Malte par les Anglais ne suscita pas d'émotion, bien que beaucoup ne manquassent pas de comparer l'élan qui les portait au moment où l'île fut prise à la lassitude qui les étreignait maintenant. Comme pour marquer cette désagrégation du moral de tous, un lancer de montgolfière, qui devait impressionner tout le monde, fut un lamentable échec, et le ballon qui peina à s'élever au-dessus des toits dépassa sans beaucoup d'ardeur les collines d'Al-Barqiyya avant de retomber.

Était-ce pour secouer cette espèce d'apathie qui s'emparait de l'armée que Bonaparte s'enthousiasma soudain pour le projet fou du percement depuis Suez d'un canal qui relierait la mer Rouge à la mer Méditerranée, et décida d'y partir avec plusieurs savants ? Enrôlant Berthollet, Monge, tellement inséparables qu'on les surnommait Berthollémonge, Costaz et Caffarelli, il prit trois cents hommes et se dirigea vers Suez pour y retrouver les ruines d'un canal antique construit par les pharaons. Avant de partir, quand même, il réinstaura le Diwan. « Vous pourrez dire à vos amis qu'ils reprennent du service, annonça-t-il, l'air malicieux, à Cronberg. Mais je ne les laisserai plus seuls pour qu'ils m'offrent à nouveau leur impuissance comme seul appui. » S'octroyant au passage le titre de « grand émir des troupes françaises », il créa en plus du Diwan du Caire un grand Diwan de soixante membres auprès duquel les anciens étaient censés jouer le rôle de « comité exécutif ». « Votre général est très habile, commenta Lotfi : rendre à l'Égypte son propre gouvernement et la doter en plus d'une représentation nationale, c'est un coup de maître. »

Trois jours avant le départ, il convoqua Sébastien, dont il semblait acquis qu'il allait le suivre.

— Je pensais vous emmener avec moi à Suez, Sébastien, mais j'ai reçu hier cette lettre.

Il tendait au jeune homme une lettre. Elle était de Desgenettes et venait d'Alexandrie.

— Nicolas René est à Alexandrie ?

— Je l'y ai fait envoyer. Ce garçon est souvent obstiné, mais son intelligence et sa culture m'ont séduit dès que je l'ai vu en Italie. Mais lisez, lisez...

Cronberg reprit la lettre. L'écriture de Desgenettes était ample, assurée, facile à lire.

« *Général. Je suis horrifié par ce que j'ai vu à Alexandrie. La peste semble désormais s'y enraciner solidement. Je ne sais si son déclenchement est provoqué ou s'il est naturel, mais ses avancées sont foudroyantes, et le pire est encore à venir. La quarantaine n'est pas assez respectée. Nous manquons de médicaments, et l'hygiène des baraquements favorise le développement de la maladie. Je me permets d'attirer respectueusement mais fermement votre attention sur cet état de fait.* »

Il releva les yeux.

— Il n'exagère pas ?

— Je ne sais pas, justement. Je voudrais que vous vous rendiez sur place. Je n'ai jamais été convaincu que cet assassin du Diwan n'ait pas eu des amis qui continuaient à sévir, et j'aimerais que vous vous en assuriez. Je sais que vous devez être très déçu de ne pas m'accompagner à Suez, mais nous aurons d'autres occasions.

Cronberg s'inclina, ravi. Il n'avait aucune envie d'aller traîner à Suez et de se pencher sur de vieilles ruines.

— Il faut, entendez-moi, il faut que personne n'apprenne la nature de cette maladie : elle terrifierait tous nos hommes. Inventez, mentez, mais que même les malades ne se doutent pas de ce qu'ils ont.

Chapitre 18

Cronberg retrouva Alexandrie avec plaisir. Il se rendit au bord de la mer, respirant enfin un air moins étouffant que celui du Caire. Il passa devant la colonne de Pompée, dont le fût de granit rouge se dressait comme une promesse de conquête et étouffa un sourire un peu amer en pensant à l'enlisement de l'armée après Aboukir. À son pied avaient été enterrés les quarante morts qu'avait coûtés à la France la prise de la ville. Cronberg se recueillit un moment devant eux. De là, il vit les obélisques de Cléopâtre, les minarets et les murailles crénelées de la fortification arabe, ces murailles dont les nombreuses brèches avaient permis quelques mois plus tôt la prise facile.

C'était là la grande Alexandrie, celle d'Antoine et de Cléopâtre, celle dont Alexandre avait tracé le plan en semant sur la terre des traînées de farine blanche que les oiseaux venus du ciel étaient venus picorer. Sébastien se promena dans le vaste terre-plein antique qui s'épanouissait à peine franchies les portes de la ville. Le désert s'était invité à la fête, et avait recouvert une grande partie des monuments qui n'étaient déjà plus que ruines et que les habitants avaient utilisés à leur tour pour rebâtir dessus. Vers la porte de Rosette, cinq colonnes marquaient encore l'emplacement d'un ancien temple romain. Des maisons avaient pris pied sur des fûts couverts d'hiéroglyphes, et une mosquée avait intégré un péristyle pharaonique à ses murs. Du pied, Cronberg dégagea la main d'une statue enfouie dans le sable et fit fuir deux ou trois chiens errants qui tournaient autour.

De ce port ensablé qu'avait un temps dominé le fameux phare disparu, il retourna dans la ville arabe et pénétra dans les rues étroites aux murs éclatants de blancheur. Les terrasses des maisons, les palmiers d'un vert poussiéreux, les flèches élancées des minarets semblaient tous vouloir s'échapper vers un ciel où le bleu lumineux était aussi la marque du plus brûlant des soleils.

L'hôpital où Cronberg devait retrouver Desgenettes avait été installé dans la grande mosquée, réaménagée avec le concours des architectes que l'expédition avait amenés avec elle. Quand Cronberg y entra, il ne vit d'abord rien tant le contraste entre la lumière du jour et le bâtiment mal éclairé était intense. L'odeur qui le saisit lui fit mettre son nez dans son bras replié pour en atténuer la puanteur. Il lui fallut quelques minutes pour s'habituer à l'un comme à l'autre. Puis il chercha le docteur.

Il était clair que la destination première du bâtiment n'était pas celle qu'on lui avait attribuée. Les corps étaient allongés partout, sans qu'un semblant d'ordre paraisse se détacher de cet amas. Il y avait étonnamment peu de gémissements, la plupart des hommes atteints semblant être trop abattus ou inconscients pour beaucoup se manifester. Des infirmiers vêtus de tabliers, quelques jeunes Arabes qui paraissaient ne trop savoir que faire allaient de l'un à l'autre, gardiens plutôt que soignants.

Cronberg mit un peu de temps à repérer Desgenettes. Il était penché sur un malade, vêtu d'une chemise à manches courtes et d'un grand tablier maculé de sang.

— Cronberg...

Il se leva, le regard plein d'ironie.

— J'aurais dû me douter que l'on vous enverrait. Rien ne frémit autour de notre général sans que vous en soyez agité. Je suppose que votre arrivée signifie qu'il a pris ma lettre au sérieux. Car c'est bien elle qui vous a fait quitter les charmes de la capitale ?

— Exactement. Et j'espère que cette entrée en matière ne cache de votre part aucune hostilité.

Desgenettes éclata d'un gros rire, qui donna à sa face ronde encore plus d'ampleur.

— Nullement, ne vous inquiétez pas. Vous êtes le bienvenu, ne serait-ce que pour m'avoir fourni ma première occasion de rire depuis bien longtemps. Regardez autour de vous : vous verrez qu'elles sont rares...

— C'est donc bien la peste ?

— Hélas ! Ce que nous avons vu au Caire n'était rien par rapport à ce qui se passe ici. Une vraie épidémie est en train de se déclarer.

— Et que faites-vous ?

— Pour l'instant, je ne peux guère que renforcer la quarantaine. Mais les gens sont irresponsables, et tous ceux qui le peuvent usent de passe-droits pour s'en dispenser. Sans parler de ceux qui s'arrangent pour débarquer clandestinement.

— Vous avez de la place ?

— De moins en moins. Le croirez-vous ? Une mosquée n'est pas faite pour devenir un hôpital. Et nous manquons de tout : la plus grande partie du matériel médical a sombré à Aboukir, le reste dans le pillage de la maison de Caffarelli, et les ateliers de Conté ne peuvent fournir suffisamment pour nous aider. Je ne sais pas quoi faire. J'ai été surpris dès notre arrivée de tomber sur un peuple aussi immense, mais qui lutte, privé des instruments les plus simples, contre des difficultés de toute espèce. Ce sentiment n'a jamais été aussi fort qu'ici.

C'était la première fois que Cronberg sentait Desgenettes à deux doigts du découragement. Il regarda autour de lui. Au moins les locaux étaient-ils à peu près propres. Des hommes balayaient. Les tas de pansements sanglants étaient mis de côté, et brûlés dans la cour de la mosquée. Dans les lits, du moins pour ceux qui avaient la chance d'en avoir, les malades étaient souvent couchés deux par deux, parfois trois par trois. Plusieurs d'entre eux étaient déjà très atteints : leurs corps étaient marqués de taches gangreneuses. Des bubons avaient éclaté, les couvrant d'une glaire jaunâtre. Il y avait encore une séparation entre les soldats et les Égyptiens, mais elle n'allait pas pouvoir être maintenue très longtemps. Il fallait être de plus en plus vigilant à propos des infirmiers, dont quelques-uns étaient des malfaiteurs ne cherchant qu'à dépouiller les malades.

Desgenettes hurla tout d'un coup :

— Qu'est-ce que ce torchon fout ici ? Je n'avais pas dit qu'il fallait les mettre dans une pièce et aller les laver aussi vite que possible ?

De la main, il désignait un bout de drap souillé de taches marron qui traînait à côté d'une paillasse à même le sol. Un soldat, à peine majeur, se précipita pour le laver en s'excusant. Desgenettes continua de crier. Des petits Égyptiens, qui faisaient les garçons de salle en échange de quelques pourboires et de morceaux de pain, s'étaient rapprochés et écoutaient la colère du docteur sans comprendre ce qu'il voulait dire.

— L'absence d'hygiène de ces gens me tue. Ça n'est pourtant pas difficile de comprendre que la propreté permet d'enrayer les risques de contagion... Mais non, ces imbéciles laissent tout traîner et font semblant d'ignorer le danger que représente leur attitude, et tout ça pour pouvoir continuer à ne rien faire... C'est pareil au Caire ! Depuis la disparition du Diwan, il ne faut plus compter sur le signalement d'aucun malade. Ce ne sont pas les militaires qui vont s'y coller. Ils se foutent de tout ce qui n'entre pas dans leurs plans de conquête. Nous allons nous retrouver avec une catastrophe sur les bras sans que personne s'en rende compte.

Une voix appela le médecin, qui se tourna vers l'entrée de la mosquée. Quatre autres malades venaient d'arriver. Quatre soldats qui paraissaient très mal en point. Desgenettes se dirigea vers eux.

— Je peux essayer de sauver le petit, dit-il en aparté à Sébastien. Les autres, ça m'a l'air trop tard. En quatre jours, cela fait vingt cas, et je ne compte pas les douze qui sont morts.

Il désigna aux hommes une pièce où des corps immobiles étaient couchés les uns à côté des autres, et isola le dernier des quatre, celui qu'il espérait encore sauver.

Cronberg frémit soudain quand il reconnut le soldat. C'était Beunot, un homme avec qui il avait fait la traversée jusqu'à Damiette. Beunot avait souffert le martyre et avait vu un de ses amis se tuer de désespoir à côté de lui. Arrivé à Damiette, son bataillon, diminué de plus de la moitié de ses hommes, était resté sur place un mois avant de repartir vers Alexandrie. Depuis, il n'avait pas quitté la ville.

— Je peux lui parler ? demanda-t-il à Desgenettes.

— Oui, répondit le docteur, si vous en tirez quelque chose. Essayez de savoir comment il a pu choper cette saloperie.

Cronberg souleva le rideau derrière lequel avait été installé Beunot. Trois autres hommes étaient déjà là.

Beunot se mit à tousser.

— Beunot, vous me reconnaissez ? Nous avons marché ensemble jusqu'à Damiette...

— Monsieur Cronberg... Je me souviens, vous étiez le chouchou du général...

Cette réputation commentait à irriter le jeune homme, mais il se força à sourire.

— Un peu, Beunot, un peu, mais il aime tous ses hommes, vous savez...

Ce lieu commun affirmé, il redevint sérieux.

— Je suis sûr que vous allez guérir.

Il y eut un flottement, interrompu par la toux d'un des hommes. Une odeur mêlée de camphre et de pourriture s'insinuait partout.

— Je n'en suis pas sûr, moi. J'en ai beaucoup vu, mais là...

— Si le docteur vous a mis ici, c'est qu'il pense que vous pouvez vous en sortir. Sinon, vous seriez avec les autres, là-bas, dans la grande pièce.

— Vous avez peut-être raison.

Mais rien d'autre que de la lassitude ne se lut sur le visage du soldat.

— Je n'y crois pas, vous savez. Et je ne sais même pas si j'en ai envie. Cette saloperie de pays nous a tous tués. Pourquoi on nous a emmenés ici, hein, pourquoi ? Il n'y a rien, rien que des pouilleux et du soleil. Pas de butin, pas de femmes, et maintenant cette saloperie de maladie…

Un sanglot étreignit l'homme. Ses mains se crispèrent sur son ventre.

— C'est la peste, c'est ça ? Hein, c'est ça ? C'est ce que tout le monde dit, qu'elle est de retour, et que ça va tous nous tuer. C'est vrai, c'est ça ?

Cronberg ne se sentit pas le cœur de mentir, malgré les recommandations de Bonaparte.

— Oui, c'est sans doute ça. Mais ça n'est pas l'horreur que vous croyez. Beaucoup de gens s'en sortent, s'ils sont soignés à temps, comme vous. C'est pour cela qu'il faut empêcher que cela se répande, et que j'ai besoin de comprendre comment vous l'avez attrapée. Vous pouvez me répondre ?

— Je vais essayer, oui.

— Avez-vous fréquenté des gens malades ?

— Non.

— Même pas dans la rue ? Vous n'avez pas touché d'enfants qui n'avaient pas l'air bien ?

— Non.

— Pas de femmes ?

— Elles vous font envie, vous, les moukères ?

Prudemment, Cronberg évita le débat.

— Aucun de mes camarades n'était atteint, sinon ceux qui sont venus avec moi mais cela s'est déclaré en même temps.

— Vous n'avez pas été mordu par un animal ?

— Non. On voit des chiens errants, mais on les fait partir à coups de fusil.

— Et les rats ?

— Il y en a, bien sûr. Mais aucun ne m'a mordu. Je m'en serais rendu compte, même si je dormais...

— Vous étiez à Alexandrie tout ce temps ?

— Hélas... Ça fait des semaines que nous traînons à Alexandrie sans rien faire que des manœuvres.

— Et vous logez où ?

— Dans des baraques, près de là où il y avait le phare.

— Et là, vous n'avez rien remarqué ? Il ne faisait pas trop froid la nuit ?

— Un peu, si. On a dormi habillés, des fois. La semaine dernière, on nous a apporté des couvertures. Ça allait mieux.

Ils parlèrent encore quelque temps. Puis Beunot s'affaissa, et ses yeux se fermèrent. Cronberg se retira. Desgenettes était encore dans la grande salle. Il avait à la main de longues pinces, avec lesquelles il incisait les bubons de certains malades.

— Il y en a eu huit nouveaux. Huit ! Et certains ont déjà été saignés, ce qui ne fait que les affaiblir encore un peu plus. Celui-là vous a dit quelque chose ?

— Non, pas grand-chose.

— Il faut faire un rapport à Bonaparte. Vous êtes venu pour ça, non ?

— Oui, bien sûr. Mais j'ai besoin de plus d'éléments.

Il se passa la main sur le visage.

— Je me sens un peu fatigué. Je vais aller faire un tour, et sans doute rentrer ensuite. Je vous verrai demain, Nicolas René. Merci en tout cas de votre accueil.

Cronberg sortit. Le soir tombait, et quelques feux s'allumaient. Il s'enfonça dans les rues, s'arrêta devant un étal acheter des oranges.

La vendeuse qui les lui tendit était vêtue d'une gallabieh noire, qui lui remontait jusque sur les épaules. Ses trois enfants étaient massés à côté d'elle, serrés sous une couverture qui les recouvrait. La femme était sale, ses vêtements aussi, et sa couverture paraissait bouger toute seule. Il s'avança plus près. Le feu teintait de rouge les visages des enfants. Il s'aperçut soudain que ce qu'il avait pris pour un mouvement du drap était en fait provoqué par le grouillement de puces.

Il lâcha ses oranges et courut à toutes jambes vers l'hôpital.

Chapitre 19

Il arriva à l'hôpital en nage. Des feux avaient été là aussi allumés et ils projetaient d'étranges ombres sur les murs.

— Desgenettes ! cria Cronberg, qui n'y voyait guère. Desgenettes !

— Mais enfin taisez-vous ! Où vous croyez-vous ?

— Ah ! Vous voilà !

— Bien sûr que me voilà ! Où pensiez-vous que j'étais ? Mais calmez-vous. Il y a des gens malades ici.

— Vous avez raison, excusez-moi. Le soldat de tout à l'heure, il est toujours là ? Toujours en vie ?

— Lequel ? Deux d'entre eux sont morts, mais celui qui était le moins mal en point est toujours là.

— Il faut que je le voie. Il pas...

L'excitation faisait bafouiller Sébastien.

— Il m'a parlé de couvertures. J'ai une idée... Si j'ai raison, cela peut nous mettre sur la piste de la maladie... Puis-je lui parler ?

— Je ne comprends rien à ce que vous me dites. Venez avec moi. S'il le veut bien, oui, vous pouvez lui parler. Mais souvenez-vous que ces hommes sont fragiles et épuisés.

Sébastien suivit Desgenettes jusqu'à la couverture derrière laquelle Beunot avait été couché.

— Beunot, c'est moi, Sébastien Cronberg.

Beunot ne répondit pas.

Cronberg tendit la main vers lui. Il la retira, pleine de sang.

Le devant de l'uniforme de Beunot était couvert de vomissures noires, qui lui avaient coulé de la bouche.

— Il est mort, constata Desgenettes.

— Merde, conclut Cronberg.

*

* *

Les deux hommes avaient une tasse d'hibiscus à la main. Desgenettes avait attiré Cronberg derrière le minbar, dans une salle de prières transformée en vague cuisine.

— Il m'avait parlé de couvertures qu'on leur avait distribuées. Et j'ai vu ces gamins, avec sur eux une couverture pleine de puces. Je me suis dit d'un coup : si on leur avait distribué des couvertures contaminées… Vous vous souvenez : vous m'avez dit que peut-être les animaux pouvaient transmettre le mal. Même les plus petits…

— Ce n'est encore qu'une hypothèse. Mais j'ai tendance à y croire. À l'École de santé, nous étions plusieurs à abonder en ce sens. La peste apparaît dans des endroits sales. Sans doute y est-elle apportée par les plus proches de cette saleté, à savoir les animaux : rongeurs, chiens… Et pourquoi pas les puces ? Cette idée fait malheureusement beaucoup plus rire qu'elle n'est prise au sérieux.

— Mais si elle était vraie ?

— Si elle était vraie, ce que vous me dites serait monstrueux !

— Monstrueux, oui. Mais possible ? Et efficace ?

— Efficace à coup sûr. Possible ? J'ai un peu de mal à le croire. Cela voudrait dire que la connaissance qu'ont nos ennemis de la maladie est bien supérieure à la nôtre. Mais techniquement, et si l'hypothèse de la transmission par les animaux est la bonne, alors oui, c'est possible.

— Il suffirait alors de livrer les couvertures, et le mal serait en marche. Qui fournit les armées ? Des Français ? Des Égyptiens ?

— Je ne sais pas. Les deux, je suppose. Il faudrait voir avec l'intendance. Je suppose qu'ils ont des fournisseurs locaux... Beunot était du 17e d'infanterie, je crois. Ils sont basés sur la plage, dans des hangars abandonnés. De toute façon, vous ne réglerez pas cela ce soir. Je vais sans doute passer la nuit ici. Il faut commencer à mettre en place de solides mesures d'hygiène. Cela seul pourra endiguer ce qui nous menace.

Sébastien se levait déjà quand Desgenettes l'arrêta.

— Restez manger un morceau avec moi, Sébastien. Ça nous fera du bien. On m'a apporté un peu de chèvre. Ça ne sera pas forcément très goûteux, mais je vous l'offre avec plaisir.

Sébastien se rassit. La chèvre était à la fois trop cuite et élastique, mais il la mangea avec entrain. Aucun des deux n'évoqua plus l'épidémie. Desgenettes, qui semblait avoir besoin de s'épancher, parla plus que Cronberg et raconta sa jeunesse à Rouen, ses séjours à Londres, son goût pour la médecine, évoqua sa thèse sur les vaisseaux lymphatiques. Il s'étendit longuement sur son admiration pour les Girondins et sa fuite à Rouen quand les Montagnards prirent le pouvoir, puis raconta l'épidémie de typhus à laquelle il avait été confronté en Italie quand il était sous les ordres de Masséna. Cette irruption dans la conversation d'une autre maladie les ramena tous deux à la peste, et le charme de l'intermède fut rompu.

Sébastien se leva et cette fois partit pour de bon. La nuit était complètement tombée et le vent qui soufflait de la mer le fit frissonner.

*

* *

Il se leva tôt le lendemain pour aller aux baraquements du 17ᵉ d'infanterie. Il avait mal dormi, dérangé par le bruit des nombreux oiseaux qui s'ébattaient dans les arbres et par des cauchemars récurrents où apparaissait le visage ensanglanté et noir de Beunot.

Les grands bâtiments de pierre dans lesquels s'étaient installés les hommes de troupe se trouvaient au bout de la plage. Comme ils étaient trop petits, beaucoup de tentes se dressaient aussi aux alentours, et Cronberg nota plusieurs signes de couchage à même le sol : lits de feuilles, couvertures qui traînaient... La discipline semblait se relâcher sérieusement, et l'inaction rongeait les hommes. Beaucoup étaient assis, jouaient aux cartes ou aux osselets, leurs armes négligemment posées à côté d'eux.

L'arrivée de Cronberg ne suscita guère d'attention. Il pénétra dans le grand bâtiment et demanda où était l'intendant. On lui désigna un sergent, debout dans le fond.

L'homme avait une trentaine d'années, la tenue débraillée, deux boutons du gilet ouverts sur une chemise de couleur douteuse. Il regarda Cronberg s'avancer avec une sorte de crainte et sa main se tendit vers son arme.

— Je suis envoyé par le général Bonaparte, dit tout de suite Sébastien.

Le sésame eut son effet, et le sergent se raidit en un simulacre de garde-à-vous.

— Vous venez nous annoncer la relève ? demanda-t-il.

— Non, je le regrette. Je viens vous demander des renseignements.

L'homme, étonné et déçu, attendit la suite.

— Vous êtes l'intendant ?

— Sergent Boursinhac, pour vous servir. Ancien d'Italie.

— Comment vous fournissez-vous ?

— Me fournir ? En quoi ?

— En tout. Vivres, vêtements, bois pour le feu, chaussures, uniformes, tissus... Tout. Asseyez-vous, nous avons tout notre temps, sergent.

Il tira à lui une caisse et s'assit dessus. Cronberg en fit de même.

— Nous avons différents circuits. Cela fait longtemps que l'intendance de l'armée ne suffit plus. Il a fallu chercher des partenaires commerciaux, le plus souvent des Égyptiens. Le consul Magallon nous a donné quelques noms.

— Pour les vêtements, comment faites-vous ?

— Il y a en ville un certain nombre de couturiers qui réparent et parfois fabriquent de nouveaux uniformes. Nous achetons aussi du tissu chez des fournisseurs, et faisons faire ce dont nous avons besoin. Cela revient moins cher. J'ai une dizaine de personnes sous mes ordres qui s'en occupent.

— Et pour la nuit ? Vous avez des couvertures ?

— Oui. Nous en avons justement commandé la semaine dernière.

— Vous auriez le nom de vos fournisseurs ?

— Bien sûr. Il y en a cinq. Vous voulez la liste ?

— J'aimerais bien, oui.

Boursinhac partit fouiller dans une liasse de papiers et en revint avec plusieurs feuilles. C'était une suite de factures. Cronberg recopia les noms et les adresses, et remercia le sergent.

— Me prêteriez-vous deux soldats pour m'accompagner ? Il faut que j'aille rendre visite à ces gens-là.

Boursinhac ne demanda aucune explication, mais fit un geste et chargea deux hommes de la mission.

— Vous n'avez aucun moyen de savoir de quel fournisseur provient telle ou telle couverture ?

— Ah non, aucun. Elles sont réunies puis distribuées.

— Je voudrais que vous les réunissiez toutes et les fassiez envoyer à la grande mosquée, là où le Dr Desgenettes a installé son hôpital.

— Toutes ? Mais il y en a près de trois cents…

— Cela ne fait rien. Faites ce que je vous dis.

Boursinhac ne protesta plus et fit donner les ordres nécessaires.

En chemin, Cronberg avait pris un interprète. Parmi tous les trafics qui s'étaient développés autour de l'armée, il y avait en particulier celui des jeunes qui s'étaient mis à apprendre le français. Ils le baragouinaient avec peine mais se proclamaient interprètes. Dans la plupart des cas, cela ne servait qu'à embrouiller davantage les amorces de dialogues. Mais les soldats qui s'ennuyaient aimaient à apprendre ces rudiments à de jeunes garçons. L'absence de femmes les faisait d'ailleurs généralement bénéficier assez vite d'un autre de leur savoir...

Leurs trois premières visites n'avaient pas donné grand-chose. Cronberg avait frappé chez les artisans, qui lui avaient ouvert leur porte avec mauvaise grâce. Le jeune interprète avait fait son travail plutôt mal que bien, et Sébastien avait parfois eu recours à ses propres rudiments d'arabe pour se faire comprendre.

Le quatrième fournisseur habitait dans une maison étroite. Cronberg frappa à la porte, et une femme vint ouvrir. Reconnaissant les Français, elle baissa la tête et fit glisser son voile devant son visage.

— Demande-lui si son maître est là, dit Cronberg au traducteur.

Le jeune garçon s'exécuta, et la servante répondit qu'il était sorti.

Une odeur frappa soudain les narines de Sébastien, une odeur qu'il avait déjà sentie à l'hôpital.

Fatigué, il décida de tenter un coup de bluff.

— Dis-lui que je sais que son maître est là, qu'il est malade, et que si elle ne me laisse pas entrer, je reviens avec l'armée.

Le jeune garçon traduisit. La servante se retira et laissa la place à la maîtresse de maison, très digne dans ses vêtements noirs. Avant même qu'elle ait ouvert la porte, Cronberg la poussa presque pour entrer et lui demanda :

— Où est votre mari ? Je sais qu'il est malade.

Au trouble de la femme, il sentit que son intuition était la bonne.

— Hein, où est-il ? À quoi sert de me le cacher ? Je suis là pour vous aider, ne comprenez-vous pas ?

Elle ne répondit pas.

Il força son passage jusqu'à une chambre. Un homme était allongé sur le dos, le regard vitreux. Son torse était marqué de bubons, et il semblait en proie à une forte fièvre.

— Il est foutu, murmura un des soldats, révélant à Cronberg que la troupe en savait plus sur la maladie qu'il ne l'aurait souhaité.

Il s'agenouilla près du malade, se protégeant d'une paire de gants de peau.

— Dis-lui que son mari va mourir. Comment a-t-il attrapé la peste ?

Le garçon parut déconcerté par la dureté de Cronberg et ne traduisit sans doute pas la totalité de la phrase. La femme expliqua que son mari était rentré malade et qu'elle ne savait pas ce qui lui était arrivé.

Cronberg se tourna alors vers un des soldats et lui demanda d'aller chercher le Dr Desgenettes.

— C'est urgent. Dites-lui de venir, sauf s'il est en train d'opérer. Et ramenez avec vous trois autres hommes.

Il referma la porte de la chambre et s'assit sur un sofa.

— Dis à cette dame que nous allons attendre ensemble, ordonna-t-il au traducteur.

*

* *

Desgenettes fut là deux heures plus tard. Cronberg s'ennuyait ferme, et l'un des deux soldats s'était allongé par terre pour dormir un peu.

— Pourquoi m'avez-vous fait venir ? Vous n'ignorez pas que j'ai quelques petites choses à faire. Et qu'est-ce que c'est que ce lot de couvertures que vous m'avez fait apporter ? Je sais à peine où le stocker...

Le compagnon attentif de la veille n'était plus, et le médecin tempétueux avait repris le dessus.

— Je vous ai fait venir parce que je voudrais que vous examiniez l'homme qui est dans la chambre du fond. C'est le propriétaire des lieux et c'est aussi l'un des fournisseurs de l'armée.

— Et alors ? Les Égyptiens aussi tombent malades. Mais ils refusent que nous entrions dans leurs maisons. Je n'ai aucune idée du nombre d'entre eux qui peuvent être atteints...

Cronberg se souvint d'une de ses discussions avec Lotfi, pendant laquelle ce dernier avait tenté de lui expliquer à quel point la notion de vie privée était sensible aux Égyptiens, et à quel point certaines initiatives françaises extrêmement maladroites nuisaient à la cause qu'elles voulaient servir. Pourquoi Bonaparte, qui s'était entouré de savants extrêmement pointus, n'avait-il pas tout bêtement amené aussi des gens capables de comprendre ces différences de mentalité ? L'universalisme prôné par la grande révolution avait fait croire à trop de monde que tous les peuples voulaient la même chose et le voulaient de la même manière.

— Allez voir. Je vous expliquerai après. Allez le voir, je vous en prie.

Desgenettes entra dans la chambre. La femme le regardait faire sans plus oser protester.

Il en ressortit vite.

— C'est bien la peste. Il n'en a plus pour très longtemps.

Cronberg le fit s'asseoir.

— Cet homme malade à côté est l'un des fournisseurs de l'armée. Il a livré des couvertures à un bataillon auquel appartenait Beunot. Je pense que ces couvertures étaient contaminées, et qu'il a été pris à son propre piège. Je ne peux pas le prouver, bien sûr. Mais c'est le seul des cinq fournisseurs qui soit tombé malade. Les couvertures sont parmi celles que je vous ai fait livrer. Normalement, elles sont neuves, puisqu'elles n'ont été apportées au camp qu'il y a trois jours. Il faudrait les examiner et voir si certaines grouillent de puces de façon anormale. Si c'était le cas, nous aurions là sans doute des soupçons suffisants pour que cet homme puisse peut-être nous mener à d'autres.

Desgenettes le regarda. La colère l'avait soudain quitté.

— Idée séduisante. Je vais faire le nécessaire.

Quelques heures plus tard, Desgenettes enlevait ses gants. Une centaine de couvertures avaient été déployées et examinées avec soin par des hommes protégés.

— Vingt-cinq de ces couvertures sont couvertes de puces, ce que les autres ne sont pas. Vous aviez raison, Sébastien. Il se passe ici quelque chose d'ignoble.

Chapitre 20

Sébastien souleva la paillasse jusqu'au grand feu qui brûlait dehors et la jeta dessus. Depuis deux jours, il aidait Desgenettes à mettre en place des mesures d'hygiène pour tenter de limiter les effets de l'épidémie. Le médecin avait écrit des lettres très précises à tous les officiers basés à Alexandrie pour leur expliquer ce qu'il convenait de faire. La quarantaine avait été renforcée. Les barbiers turcs furent reconvertis en infirmiers, et chargés des frictions et des pansements. Quand la nourriture arrivait à l'hôpital, les poulets étaient déplumés et passés au feu, les légumes et la viande plongés dans le vinaigre. Les lettres étaient elles aussi passées au vinaigre, les paquets soumis à des fumigations de soufre et d'aromates. Dès qu'un malade entrait à l'hôpital, tout ce qui lui appartenait et qui était en fil, laine, coton, fourrure, plume était brûlé. Des soldats furent mandés pour expliquer les mesures dans les familles des malades égyptiens, ce qui ne manqua pas de susciter de nombreux troubles.

Cronberg avait envoyé un rapport à Bonaparte. Mais il savait que le grand homme était parti en quête du canal et qu'il aurait du mal à l'intéresser à la situation. Il avait de toute façon plus urgent à faire, à savoir remonter la filière des couvertures et tenter de savoir d'où elles pouvaient venir.

Accompagné d'un traducteur, il avait tenté de se renseigner sur le fournisseur de l'armée. Par l'intendance du bataillon, il avait obtenu son nom : Ahmed El-Morsi. Un des assistants du consul Magallon, qui vivait à Alexandrie, lui avait communiqué sa fiche : commerçant en tissus, Morsi avait noué depuis déjà quelques années des liens avec les Français vivant à Alexandrie. Quand l'armée s'était installée, il avait étendu son commerce, achetant deux nouvelles boutiques et devenant l'un des fournisseurs des troupes basées là. Il avait toujours été fidèle et approvisionné. Tout au plus s'était-il discrètement mêlé aux protestations sur les taxes imposées par les Français…

Le voisinage ne lui avait pas appris grand-chose de plus. Morsi était un homme secret et froid, mais qui n'avait jamais causé de souci à personne. Il vivait dans sa maison et en sortait assez peu. Ses boutiques, qu'il visitait régulièrement, étaient tenues par d'autres que lui. Pourtant, s'il avait attrapé la peste lui aussi, c'était bien en manipulant ces couvertures empoisonnées. L'avait-il fait sans le savoir ?

Cronberg venait tous les jours aider Desgenettes, tout en lui faisant part des résultats encore pauvres de son enquête.

— Ils ne viendront pas à vous tout seuls, lui dit le médecin. Il faut que vous les forciez à sortir du bois. Tendez-leur un piège.

— Quel piège ?

— Une nouvelle commande. Ils ne se sont pas rendu compte que nous les avons percés à jour.

— Malgré notre visite chez Morsi ?

— Demain j'en ferai chez tous ses voisins. Elle sera noyée dans un contrôle de routine. Et vous pourrez recommander des couvertures.

— Cela ne fonctionnera que si ses adjoints sont aussi dans la combine.

— Ça vaut la peine d'essayer, non ?

*

* *

Le lendemain, Desgenettes tint sa promesse. Accompagné de cinq hommes, il partit inspecter toutes les maisons autour de celle de Morsi. Dans aucune il n'y avait de malade, ce qui confirmait encore que la contamination de Morsi n'était pas accidentelle.

Quand il frappa chez le fournisseur, il lui fallut tambouriner pour qu'on lui ouvre. Après dix minutes, sa femme vint elle-même directement à la porte. L'air altier, elle foudroya de son mépris le docteur et les soldats. Il n'en fallut pas plus à Desgenettes pour comprendre que le maître de maison était mort. Il laissa quand même entrer ses hommes, leur intimant de prendre les précautions de base, et examina les enfants de la famille. L'un d'entre eux, hélas, était déjà atteint, et il lui fallut presque l'emmener de force à l'hôpital. Il n'obtint gain de cause qu'à condition que deux domestiques l'accompagnent.

Cronberg partit alors retrouver Boursinhac, l'intendant, pour qu'il commande de nouvelles couvertures.

— Comment vous les livrent-ils habituellement ?

— Ce sont eux qui les apportent, répondit Boursinhac.

— Vous allez vous arranger pour que nous passions les chercher nous-mêmes. Où sont-elles fabriquées ?

— Il y a des ateliers au sud de la ville, et je crois que c'est là qu'elles sont stockées.

— Vous savez où ils sont ?

— À peu près.

— Auriez-vous des vêtements d'Égyptien quelque part ?

— Oui, je devrais vous trouver ça.

— Bien. Faites la commande. Dites-leur que nous passerons la prendre dans trois jours et essayez de savoir avec précision où elles seront stockées. Faites passer cela comme un geste de l'armée envers les commerçants égyptiens, et dites-leur que le prix ne baissera pas même s'ils ne font pas la livraison.

Boursinhac acquiesça. Son regard était devenu plus vif.

— Vous ne voulez pas me dire ce qui se passe, je suppose ?

Cronberg le regarda à son tour avec plus d'intérêt.

— Pourquoi voulez-vous le savoir ?

— Parce que je m'emmerde comme un rat mort dans ce trou, et que la plus petite action serait la bienvenue. Même pas une action : juste le sentiment de servir à quelque chose. Si donc vous avez besoin de quoi que ce soit, je serai ravi de vous aider un peu plus, ou de vous accompagner.

— Et m'accompagner où ?

— Vous ne m'avez pas demandé un costume pour aller à un bal masqué ? sourit Boursinhac.

Cronberg, alors, le mit au courant de l'affaire.

*

*   *

Le soir même, Boursinhac porta à Cronberg les habits égyptiens que l'intendant lui avait trouvés.

— J'en ai un pour moi aussi. Si vous voulez toujours que je vous accompagne...

Séduit par son enthousiasme, Cronberg avait proposé à Boursinhac de le suivre pour aller repérer les ateliers où Morsi fabriquait et stockait ses marchandises.

— Il vaudrait mieux y aller en fin de journée. Nous aurons moins de chances de nous faire repérer, avait-il suggéré.

À pied, ils retraversèrent Alexandrie, s'enfonçant vers le sud de la ville dans des quartiers de plus en plus désertés. Ils ne croisaient que des gens qui marchaient vite. Un muezzin lança l'appel à la prière du soir.

Après avoir tourné et retourné dans des ruelles sombres, ils parvinrent à une sorte de terrain vague. Cronberg se félicita d'avoir emmené avec lui l'intendant, convaincu que tout seul il se serait perdu. Ils arrivèrent devant plusieurs hangars en bois.

— C'est là. J'y suis venu plusieurs fois chercher des stocks de tissu.

Cronberg se faufila derrière l'un des bâtiments et y jeta un œil. Des ouvriers, une trentaine, étaient en train de coudre à la main, éclairés par des lampes à huile. Les révolutions que Conté avait apportées dans de nombreux domaines, créant des manufactures et relançant en particulier la fabrication de poudre et de métaux, n'avaient pas encore atteint Alexandrie, où seule la carcasse encore inachevée d'un moulin à vent montrait une quelconque avancée technique. Il y avait là, en vrac, des tas d'habits et des paquets de tissus. Et dans un coin un lot de couvertures semblables à celles qui avaient déjà été livrées à l'armée.

Derrière le bâtiment qui servait visiblement d'atelier se trouvaient des entrepôts. Suivi de Boursinhac, Sébastien se glissa jusqu'à eux. Personne ne les gardait. Il se glissa à l'intérieur, repoussant une porte montée sur une barre de fer. La grande salle était à moitié remplie de lots de couvertures. Étaient-ce celles destinées au bataillon ? Cronberg s'approcha du lot et les compta, pendant que Boursinhac faisait le guet. Il y en avait à peu près trois cents, soit la commande passée par l'intendant.

Il examina les couvertures du mieux qu'il put, mais la nuit qui tombait rendait sa tâche difficile. Ils en déplièrent plusieurs, en faisant attention à les replier ensuite comme ils les avaient trouvées. Sur aucune ils ne trouvèrent de puces ou de traces suspectes.

Pendant une heure, ils cherchèrent en vain. La lune apparut et baigna la pièce d'une lueur blanche. Régulièrement, Boursinhac allait faire le guet. Cronberg, découragé, s'assit.

— Quand doivent-ils vous livrer ?

— Demain dans la matinée.

— Donc, si j'ai vu juste, ils vont venir glisser des couvertures contaminées dans le lot cette nuit…

Il réfléchit.

— Ou alors c'est que je me suis trompé. Mais ça n'est pas possible : tout concorde trop bien…

Il se leva.

— Vous savez ce que nous allons faire, Boursinhac ? Vous allez rentrer et revenir avec quelques hommes, cinq ou six, discrets et vigilants, que vous dissimulerez dans les environs. Qu'ils s'habillent en Arabes et s'arment de pistolets faciles à dissimuler.

Je vais, moi, rester ici et attendre. Si des gens viennent cette nuit, il faudra alors ou les suivre ou les arrêter. Quand tout sera en place, vous viendrez me prévenir.

Boursinhac sortit. Sébastien alla vers le fond de l'entrepôt, creusa une place où s'allonger sur un lot de tissus d'où il avait vue sur les couvertures et dans lequel il pouvait rapidement se cacher si quelqu'un entrait.

Commença alors une longue attente. Sébastien était un homme impétueux, remuant, conquérant mais il était capable de rester des heures à l'affût, sans rien faire d'autre que guetter. Ses pensées vagabondaient mais son corps, lui, restait immobile. Il passa et repassa dans sa tête les éléments de son enquête, de plus en plus convaincu qu'il avait vu juste.

Trois heures après son installation, Boursinhac se glissa à nouveau dans le dépôt.

— Je suis là, Boursinhac.

— Je suis revenu avec cinq hommes. Ils sont armés et habillés en Arabes. Je les ai disposés autour de l'entrepôt, sans qu'ils soient repérables. Ils verront toute personne qui y entre. Normalement, ils sont à portée de voix, en tout cas d'un bruit d'arme à feu. Si vous voulez qu'ils interviennent, vous n'avez qu'à appeler.

— Merci. Vous restez avec eux ?

— Bien sûr, monsieur.

— Allez-y alors, et j'espère que je ne vous aurai pas fait déplacer pour rien.

Ce n'est que longtemps après que l'intuition de Sébastien prouva sa justesse. Quatre hommes entrèrent dans le dépôt, accompagnés d'un âne chargé de quelques couvertures. Ils le poussèrent vers le tas destiné à l'armée, en enlevèrent une trentaine et placèrent l'une des leurs au milieu, avant de remettre les couvertures officielles par-dessus.

Même s'ils n'étaient éclairés que d'une petite lampe, Sébastien en avait assez vu. Il se dressa soudain, cria « Rendez-vous ! » et tira un coup de feu en l'air. Stupéfaits, les quatre hommes s'immobilisèrent avant de se ruer vers la sortie. Seul l'un d'entre eux, au visage dissimulé, s'élança vers Sébastien, un poignard à la main, et fut sur lui avant que le jeune homme ait pu recharger.

Désarçonné par cette attaque, Sébastien recula et tomba sur le stock de tissus. Le poignard le frôla, mais s'enfonça dans l'étoffe. Le jeune homme lança son poing en avant, sentit qu'il rencontrait le visage de son adversaire et tenta de se relever. Le terrain mouvant les handicapait tous les deux, et Sébastien eut le premier la chance de pouvoir se remettre sur ses pieds. Il bondit aussitôt vers l'âne et attrapa la badine avec laquelle les hommes le guidaient. Son opposant, qui s'était relevé à son tour, était derrière lui. Sébastien se retourna et le fouetta avec la badine. Il entendit un cri de douleur et vit deux zébrures apparaître sur le visage de son adversaire, dont il ne distinguait pourtant pas les traits.

Des cris leur parvinrent de l'extérieur, et trois des Français entrèrent dans l'entrepôt. Profitant de l'avantage que lui donnait l'obscurité, l'homme renversa soudain la lampe qui s'éteignit et fonça vers la sortie.

— Arrêtez-le, cria Sébastien.

Encore peu habitués au noir, les soldats furent bousculés avant de pouvoir réagir.

Quand ils sortirent, il était trop tard. Sébastien s'était précipité à sa suite, mais la distance était déjà trop grande : le fuyard était à une centaine de mètres, près des ateliers. Ils ne le rattraperaient pas sans chevaux.

— Merde ! pesta Cronberg. Et les autres ?

Il sentait l'adrénaline parcourir tout son corps et se retenait pour ne pas le suivre dans une course inutile.

— Les autres, nous les avons.

Boursinhac était à côté de lui. Presque rieur, il désignait trois corps ligotés, ceux des Égyptiens qui avaient tenté de s'enfuir.

— Quand même, sourit-il, un peu d'action, ça fait du bien.

Chapitre 21

Les trois prisonniers avaient le visage fracassé quand Cronberg entra dans leur cellule. Deux gisaient à terre, presque inconscients. Un troisième était attaché sur sa chaise. Le sang à ses pieds formait une large flaque. Plusieurs de ses dents étaient tombées. À ses côtés, deux soldats étaient en bras de chemise. L'un d'eux avait les poings et le devant de la chemise rougis.

— Alors, demanda Sébastien. Ils ont parlé ?

— Les deux là, non. Celui-là, je crois qu'il va le faire. Mais ils sont coriaces, les salopards.

La torture était une invitée régulière des campagnes de Bonaparte, et Cronberg n'y voyait rien à redire. Ces gens-là n'avaient qu'à parler, après tout. Le problème était plus de savoir doser la souffrance pour qu'ils ne meurent pas trop tôt ou, encore pire, qu'ils ne disent pas n'importe quoi pour que cela s'arrête. En Italie, certains leur avaient fait ainsi fait perdre un temps précieux.

L'homme gémit. L'interprète lui reposa la question, puis se tourna vers les Français, inquiet.

— Il a vraiment l'air à bout. Je ne sais pas s'il faut continuer.

— Vous êtes là pour traduire, pas pour donner votre avis. Continuez, Astier, c'est bien. Laissez-le reposer un peu, puis reprenez. Et vous viendrez me dire ce qu'il en est. Je retourne à l'hôpital.

Il fallut encore deux heures avant que le soldat chargé de l'interrogatoire ne passe à l'hôpital pour y chercher Cronberg.

— Il a commencé à parler, monsieur. Je crois qu'il faudrait que vous veniez.

Cronberg s'excusa auprès de Desgenettes, enleva la blouse qu'il mettait désormais à chacune de ses visites et suivit le soldat. Il ne précisa pas au médecin de quoi il s'agissait, ayant déjà eu avec lui une discussion sur la torture qui les avait violemment opposés. Desgenettes était dans le fond plus civil que militaire.

— Il va tenir longtemps ? demanda-t-il en chemin.

— Ça n'est pas sûr.

— Qu'a-t-il dit ?

— Qu'il voulait vous parler. L'interprète a bien essayé de lui poser des questions, mais il vous a mentionné.

Quand Sébastien pénétra à nouveau dans la cellule, l'odeur de fèces et de sang était devenue encore plus prégnante. Il retint un haut-le-cœur et s'approcha du blessé. Rien n'avait effectivement été épargné : l'orbite de l'homme était vide, et Cronberg n'osa demander ce qu'on avait fait de son œil, qu'il craignit d'écraser en marchant.

Il s'agenouilla auprès du corps meurtri.

— On me dit que vous voulez me parler ?

L'interprète s'était rapproché et traduisait au fur et à mesure.

— Vous êtes le chef ? demanda l'homme.

— Oui.

— Mes camarades ?

— L'un est mort, les deux autres ont refusé de parler.

— Lequel est mort ? Le grand ?

Cronberg jeta un œil vers le cadavre, encore couché derrière lui.

— Le plus âgé.

— Si je parle, qu'allez-vous faire des deux autres ?

Toute la conversation était hachée, entrecoupée des gémissements de l'homme qui parfois s'arrêtait pour cracher un peu de sang.

— Que voulez-vous que nous en fassions ?

— Que vous les relâchiez.

— Je vous le promets. Que pouvez-vous nous dire ? Qui est cet homme qui nous a échappé ?

— Je ne connais pas son nom, mais il a un poste important dans le groupe de ceux qui luttent contre vous.

— Les couvertures ? C'était un plan pour donner la peste à l'armée ? Ça venait de lui ?

— Oui.

— Il y a d'autres attaques comme celles-là de prévues ?

— Oui.

— Où ? Ici, à Alexandrie ?

— Non. Ici, nous avons fait ce qu'il faut. Mais...

Une quinte de toux l'interrompit.

— Mais... ? demanda Cronberg, inquiet que l'homme ne meure trop tôt.

— Mais il y en aura d'autres sur la route qui vous mène vers la Syrie. Vous ne serez pas épargnés.

— Quel genre d'attaque ?

— Vous verrez bien. Mais méfiez-vous : nous ne nous en tiendrons pas là. Votre route sera longue.

L'homme s'étouffa et s'évanouit.

— Essayez de me le réveiller, dit Cronberg. Il n'en a pas dit assez.

Ce fut en pure perte : l'homme mourut un quart d'heure après ce dernier interrogatoire.

Furieux, Cronberg renvoya les autres à la question. Mais ils restèrent muets. L'un des deux mourut sous les coups. Il fit fusiller le dernier. Aucun des trois bourreaux ne lui rappela sa promesse.

*

* *

Cronberg relata au médecin le fruit de sa conversation avec les prisonniers, sans préciser ce qu'il était ensuite advenu d'eux. Desgenettes, prudent, ne l'avait pas demandé, mais offrit tout de suite de l'accompagner.

— Si ce qu'ils ont dit est vrai, il faut prévenir Bonaparte. Je dois essayer de le rejoindre. Si vous veniez avec moi, vous pourriez tenter d'organiser la lutte contre la maladie sur place, avec l'armée. J'ai envoyé un courrier pour savoir où il était. Dès que j'aurai la réponse, nous partirons. Qu'en pensez-vous ?

— J'ai mis en place ici ce qu'il fallait mettre en place. J'ai toute confiance en Martigues, un infirmier que j'ai pu former. Et je serai sans doute plus utile ailleurs, où ces précautions n'auront pas encore été prises. Si nous n'avons pas enrayé l'épidémie, nous avons au moins appris aux gens à lutter contre elle.

— Alors, rejoignons les troupes. Le plus tôt sera le mieux.

Il fallut quelques heures pour préparer la caravane qui allait emmener les deux hommes. Les nouvelles qui étaient arrivées à Alexandrie les avaient tenus informés de ce qui se passait au Caire. Djezzar Pacha, dit « le boucher », pacha d'Acre, se faisait de plus en plus menaçant et annonçait depuis la Syrie son intention de se rendre au Caire et d'y mettre une déculottée aux Français. Déjà il avait fait partir des avant-postes jusqu'à El-Arich, une ville à mi-chemin entre Gaza et Péluse dont il s'était emparé. Bonaparte avait décidé de stopper son avance. L'armée était à nouveau en guerre.

Boursinhac était venu supplier Cronberg de l'arracher à l'intendance et de l'emmener avec lui. Sébastien hésita, se souvenant de ce qu'il était advenu de Seydoux quand il avait accédé à sa demande, mais Boursinhac était un soldat aguerri et il savait ce qu'il faisait. Il s'arrangea pour obtenir de son chef de bataillon qu'il lui soit détaché, assurant ce dernier qu'il le prenait sous sa responsabilité et lui enverrait une confirmation rédigée par Bonaparte lui-même.

Ils partirent donc à trois. Le courrier qu'attendait Cronberg était arrivé et leur signalait que l'armée se dirigeait vers Gaza. Reynier avait fait tomber El-Arich et mis en fuite les Mamelouks d'Ibrahim, Bonaparte campait devant la ville une semaine après être parti du Caire et avait fait condamner les tours du château. Gaza n'était qu'à soixante lieues, et ils devraient y être dans deux jours. L'armée y prendrait quelque repos.

— Deux jours... Il nous en faudra quatre. Ça devrait permettre de nous y retrouver.

Le chemin fut long mais sans incidents. Les trois hommes étaient à cheval, et deux chameaux les suivaient, portant le matériel.

Ils atteignirent Gaza alors que l'armée était déjà installée autour. Bonaparte avait rejoint Reynier devant El-Arich. Au total, c'étaient près de treize mille hommes qui s'y trouvaient. Il y avait même la plus récente création du général en chef, un régiment de quatre-vingt-huit cavaliers à chameaux que dirigeait le général Cavalier. Des quartiers de mouton et de cheval cuisaient sur de larges feux. Sur les nattes, au fond des tentes, attendaient aussi des esclaves circassiennes ou abyssines.

Cronberg rencontra Venture, qu'il fut ravi de revoir. Le traducteur avait souffert de la traversée à toute allure du désert.

— Comment est le grand homme ? demanda Cronberg.

— De mauvais poil. Il a commencé par s'en prendre à Reynier parce qu'il n'avait pas bien organisé le ravitaillement et que l'armée devant El-Arich avait été privée de tout. Reynier va depuis pestant partout que ces reproches sont profondément injustes.

— Ils le sont ?

— Il a quand même réussi à faire tomber la ville, malgré les Turcs qui ne nous ont pas laissés tranquilles, et qu'il a fallu embrocher en abondance.

— Nous avons perdu beaucoup d'hommes ?

— Trop, on en perd toujours trop. La résistance turque a été redoutable. Le général a même dû faire plus de concessions qu'il ne l'avait prévu. La garnison s'est retirée avec les honneurs de la guerre, à la seule condition qu'elle n'aille pas combattre en Syrie et qu'elle ne nous emmerde plus sur la bouffe…

— Et il s'y est tenu ?

— Du tout. Dès le lendemain, nous avons violé ces accords : les Mamelouks ont été désarmés et les mercenaires maghrébins ont rejoint nos troupes bien contre leur gré. Je me demande d'ailleurs ce qu'on pourra en tirer sur le champ de bataille… Nous n'avons pas le choix. Si Djezzar bloque l'isthme de Suez, la route des Indes nous est coupée. Et après Aboukir, nous serons bloqués au Caire comme un poisson dans une nasse.

Cronberg sourit.

— Je le reconnais bien là.

Venture était plus amer.

— Je ne suis pas sûr que l'on puisse tenir très longtemps, même dans l'art de la guerre, en trahissant ainsi sa parole…

— Relisez Machiavel, Jean-Michel…

— Et vous, vous lui apportez de bonnes nouvelles ?

— Pas trop, non.

— Craignez sa colère, alors. Vous le trouverez sous sa tente.

Il y était, en train de décrire la place forte de Jaffa à Reynier et Caffarelli. Il fit signe à Cronberg d'entrer sans pour autant s'interrompre. Muets, Bon, Lannes et Murat écoutaient ce qui se disait. Piétinant dehors comme des courtisans à Versailles, Cronberg reconnut Vivant Denon, Monge et Berthollet.

— La ville est construite sur un piton. Il y a de hautes murailles avec des tours. Djezzar en a confié la défense à des troupes d'élite. D'après ce que nous savons, douze cents canonniers turcs les gardent. Ce ne sera pas une partie de plaisir, mais il nous faut à tout prix nous rendre maîtres de la place. C'est un des points d'accès à la Syrie. Son port offre un abri sûr à l'escadre. De sa chute dépend en grande partie le succès de l'expédition. Nous partirons dans deux jours, le temps que l'armée se repose un peu. Damas, quel est votre rapport ?

Le général Damas était allé en reconnaissance autour de la ville et en était revenu le matin.

— Il y a des rebelles partout sur les hauteurs. Il nous faut investir la plaine, mais il sera difficile de s'installer plus au-dessus.

— Eh bien, nous ferons ainsi. Prévenez vos hommes que ce sera peut-être ardu mais que toute la grandeur de notre expédition passe par Jaffa. Allez, messieurs, merci. Cronberg, restez.

Les généraux sortirent.

— Alors ? Alexandrie ? Avez-vous pu aider ce brave Desgenettes ?

— Je l'ai même ramené avec moi, mon général. Je crois qu'il saura vous expliquer mieux que moi ce qui se passe.

— Ah ! Votre rapport n'était donc pas exagéré ! J'ai cru que votre fréquentation de l'hôpital vous faisait surestimer la maladie.

— Je crains que non, mon général. Me permettez-vous... ?

— Bien sûr.

Cronberg fit entrer Desgenettes. Il y avait dans l'attitude de Bonaparte des indices presque imperceptibles qui montraient à qui savait l'observer ce qu'il pensait des gens en face de lui. Et son attitude face à Desgenettes était un mélange d'admiration et de méfiance, de méfiance non pour l'homme lui-même mais pour la résistance qu'il était capable de lui opposer. Desgenettes n'était pas de ceux qui s'agenouillent et Bonaparte à la fois respectait et craignait cette attitude.

— Docteur, vous rejoignez l'analyse de Cronberg sur la gravité de cette épidémie ?

— Je viens de faire un rapide tour parmi les troupes. J'ai déjà pu constater que certains d'entre eux étaient malades. Il va falloir intervenir très vite.

— Que suggérez-vous ?

— Comme à Alexandrie. Un hôpital, de l'isolement, des précautions.

— Bien. Nous allons y pourvoir. Et vous, Sébastien, qu'en est-il de ces brigands qui ont tenté de contaminer nos troupes ?

— Nous savons qu'ils préparent quelque chose, mais peut-être sont-ils déjà passés à l'action. Un homme nous a échappé, qui semble être important pour eux. Ce sont, je crois, des gens extrêmement déterminés et agissant par petits groupes.

— Que diable nous veulent-ils ? Qu'avons-nous fait qui ne leur sied pas ? Je comprends que nos aristocrates résistent à la révolution, mais ici ? C'est incroyable. Ils ne comprennent donc rien ?

Desgenettes ne releva pas.

— Nous allons prendre cette ville, et ensuite je mettrai en place cet hôpital. Nous stopperons cette maladie.

*

* *

L'assaut commença le lendemain. Caffarelli commandait le génie et Dommartin était en charge de l'artillerie. Les hommes s'étaient placés tout autour de la citadelle. Il y avait encore des problèmes de ravitaillement, et Kléber pesta contre le jeune général en chef qui s'en remettait pour cela au pillage des dépôts qu'il ne manquerait pas de trouver sur la route.

— Ça a marché à Ramlah, mais si on se trouvait à court ? Il faut quand même être un peu con pour croire à ce point dans sa bonne fortune, non ?

Les hommes, eux, étaient furieux et affamés. Ils dormaient mal, harcelés par des attaques de Bédouins, exaspérés par les moustiques. La nuit dernière, il avait même plu. La fièvre mettait des dizaines de combattants à plat. En passant parmi eux, Sébastien sentit cette exaspération extrême qui, heureusement, s'exerçait pour l'instant plus contre l'ennemi que contre leurs chefs.

Il se tenait en dehors de la bataille, auprès de Desgenettes. Déjà une bonne quinzaine de soldats étaient allongés, le corps marqué par les bubons. Il prit trois hommes avec lui, dont Boursinhac, et alla inspecter les couvertures et les draps qu'avaient reçus les malades. Deux d'entre eux grouillaient de puces.

— Vous croyez qu'elles ont été contaminées exprès ?

— Sans doute. Ils auront lancé la même offensive qu'au Caire et à Alexandrie. Nous avons vraiment l'air de crétins : avec quelques insectes, ils nous font plus de mal que ne le ferait l'armée anglaise tout entière. Et nous sommes impuissants. Ils sont des milliers de suspects. Rien ne différencie l'ennemi de l'ami. Nous vivons peut-être entourés de gens qui ne pensent qu'à nous détruire. Qu'est-ce que cette guerre de l'ombre, aux armes invisibles ?

— Trouvez-vous que celle qui se fait là-bas est tellement mieux ?

Les coups de canon emplissaient l'atmosphère. Plusieurs boulets avaient déjà atteint les tours de Jaffa. Les hommes montaient à l'assaut des murailles, avec une rage exacerbée par leur lassitude et la dureté de leurs conditions de vie, s'approchant le plus possible avant de se replier. De la ville tombait un feu nourri. Les assiégés balançaient aussi des pierres, repoussaient les échelles que les Français tentaient de maintenir.

— Avez-vous appris ce que Bonaparte a fait à Boyer ?

— Boyer ? Le médecin ?

— Oui. Il a été assez lâche pour refuser de donner des soins à des blessés qui avaient été en contact avec des malades contagieux. Bonaparte l'a fait habiller en femme et promener sur un âne dans les rues d'Alexandrie avec un panneau disant « Indigne d'être citoyen français », il craint de mourir.

Sébastien éclata de rire.

— Et ensuite ?

— Il a été mis en prison et renvoyé en France sur le premier bâtiment en partance.

— Là, je ne suis pas sûr qu'il n'ait pas fait des envieux.

Enfin une brèche apparut dans les troupes ennemies. Un frisson parcourut l'armée. Bonaparte, qui suivait le combat depuis sa tente installée sur une dune et ne cessait d'envoyer des messages aux uns et aux autres, fit cesser le combat.

— Nous allons envoyer un émissaire. S'ils sont lucides, ils se rendront.

Il désigna un homme, un Turc qui suivait l'armée depuis quelque temps déjà. Il s'avança sur un cheval, un drapeau blanc à la main. Les soldats s'écartèrent pour lui permettre d'atteindre la porte de la ville. Elle s'ouvrit, et l'homme entra.

— Si tout se passe bien, sourit Bonaparte, dans une heure, le problème de Jaffa sera réglé et nous pourrons continuer à marcher vers la Syrie.

Ils attendirent sans que rien se passe. Bonaparte commençait à tourner en rond, inquiet.

— Mais qu'est-ce qu'ils foutent ? Ce qu'il avait à dire était pourtant clair. Et quel choix ont-ils ?

— Là, général, sur le parapet.

C'est Reynier qui avait, le premier, vu l'émissaire de Bonaparte. L'homme était ligoté. Il regarda en direction du camp français, puis l'Arabe qui était derrière lui le fit mettre à genoux, dégaina son sabre et lui coupa la tête. Une ovation monta de la citadelle assiégée pendant que la tête de l'émissaire était exhibée au public.

Bonaparte pâlit.

— Tuer un émissaire ? Ces brutes vont comprendre ce que c'est que de me défier.

Personne autour de lui n'osait plus parler, attendant ses ordres.

Les portes s'ouvrirent à nouveau et une troupe de soldats sortit en hurlant.

— Ils tentent une sortie. Ces barbares ne ressentent vraiment rien.

Un instant, les premières lignes françaises, surprises, furent débordées. Mais rapidement les suivantes se ressaisirent et ripostèrent. Les « tortues » se formèrent spontanément partout et les lignes de front se stabilisèrent.

Bonaparte avait donné ses ordres. Chacun était reparti. Devant la ville, le siège avait repris.

Chapitre 22

Cronberg ne se battait pas. Avec l'aide de Boursinhac qui, lui, serait bien allé en découdre, il continuait d'interroger les intendants de l'armée et d'essayer de déterminer si d'autres marchandises avaient pu être contaminées.

Petit à petit, il reconstitua la façon dont les fournitures contagieuses étaient données aux intendants. Ce qui s'était passé avec le cadavre du Diwan continuait de façon plus discrète et plus efficace, comme si cette première tentative devait à la fois servir de banc d'essai et être remarquée pour faire peur aux Français.

Il entendit soudain qu'on le hélait. Il se retourna : c'était Dominique, baron Vivant Denon, qui arrivait vers lui, tout sourire.

— Sébastien, cela me fait plaisir de rencontrer autre chose qu'un militaire. Vous savez que je ne raffole pas de ces gens-là, ou plutôt que je m'en lasse assez rapidement. Et là, je dois avouer que mon niveau de saturation est atteint.

Une idée frappa soudain Cronberg.

— Dominique, si je vous décrivais quelqu'un, vous pourriez me le dessiner ?

— Encore ! Ça ne vous a pas suffi, cette séance avec le cadavre ? Vous voulez que j'immortalise tout ce qui vous préoccupe ? Mais faites-moi dessiner des femmes, alors, et des belles, pas des moukères au cul tellement gros qu'elles ne peuvent plus se relever...

Sébastien était perdu dans son idée.

— Je n'ai pas vu ses traits, mais il a une marque distinctive sur le visage. C'est elle qui me permettra de le faire identifier. Pouvez-vous ?

Denon comprit le sérieux de la requête et arrêta de plaisanter.

— Je n'ai de toute façon pas envie d'aller me battre. Suivez-moi : j'ai du papier et des fusains sous ma tente...

Il ne lui fallut pas très longtemps, tant les renseignements donnés par Cronberg étaient pauvres : il ne se souvenait que des deux cicatrices qu'il avait infligées à l'homme. La lune lui avait permis de voir les sillons sanglants qui partaient de son front et allaient jusqu'à sa bouche, qu'il avait fendue. Sébastien fit retoucher les cicatrices plusieurs fois à Denon, et Desgenettes vint les conseiller sur l'aspect qu'elles devaient avoir pris depuis. Denon les rehaussa même d'un trait de violet, pour mieux en marquer le réalisme.

— Combien de dessins pouvez-vous m'en faire ? demanda Sébastien.

— J'espère que cette méthode d'investigation ne va pas se répandre. J'imagine déjà le malheureux obligé de croquer des voyous *ad vitam aeternam* pour le bien de la République...

Denon accepta de faire cinq portraits. Sébastien pendant ce temps avait demandé à Boursinhac de trouver trois autres hommes. Il prit un portrait avec lui, en confia un à l'intendant et distribua les trois autres, donnant l'ordre de demander au plus de gens possible s'ils avaient vu un Arabe blessé de cette façon.

— C'est un peu chercher une aiguille dans une botte de foin, dit Boursinhac, qui avait rêvé plus aventureux comme mission.

— Vous irez vous battre après, Boursinhac Si nous identifions cet homme, cela peut sauver beaucoup plus de vies que tous vos exploits guerriers.

— Et qu'est-ce qui vous dit qu'il est ici ?

— Rien, sinon la logique. S'il a vraiment l'intention de continuer à empoisonner notre armée, il faut bien qu'il la suive. Et, reconnaissable comme il l'est, il a peu de chances de passer inaperçu près de nos troupes. Il a donc fort bien pu se réfugier dans Jaffa.

Il regarda le portrait.

— Je peux, cela dit, complètement me tromper...

*

* *

Trois jours de siège n'avaient pas réussi à faire tomber la ville. L'armée était à bout. Bonaparte était furieux. Il traitait ses hommes d'incapables, faisait à Kléber et Caffarelli des commentaires acerbes sur leur incapacité à mener le combat. Les hommes courbaient le dos. À chaque fois que les Français réussissaient à s'avancer suffisamment pour construire des échelles, une sortie audacieuse des assiégés les repoussait. Ce jeu de yo-yo menaçait de n'en plus finir. Le 6 au soir, Bonaparte réunit une dernière fois les hommes. La fatigue se lisait sur leurs traits. Caffarelli traînait sa jambe de bois avec plus de peine que d'habitude. Venture boudait, car il s'était fait refouler de la réunion.

— Ils ne vont pas nous refaire le coup d'Ali Bey, dit Bonaparte. Demain matin, nous lançons l'attaque. Caffarelli, où en êtes-vous ? Vous pouvez assurer ?

Le général répondit que oui, ne pouvant de toute façon pas répondre non.

— Dommartin s'est mis d'accord avec vous ? Remarquez qu'il aurait dû le faire depuis trois jours déjà…

— C'est le cas, mon général. Notre matériel est là pour soutenir l'artillerie, et je n'attends que vos ordres pour lancer l'offensive.

— Eh bien, vous les avez. Demain, nous ne nous arrêterons que quand cette foutue ville sera à genoux. Cavaliers, c'est le moment de montrer ce que vos chameaux savent faire…

— Dromadaires, mon général, dromadaires. Mais je promets de vous impressionner.

— Messieurs, il ne nous reste qu'à aller dormir et à nous préparer. Je vais en faire de même. Sébastien, vous avez du neuf ?

— Une piste, mon général. Il est possible que l'homme que j'ai blessé à Alexandrie ait pu entrer dans la ville.

— Bonne nouvelle, si elle est juste. Il est pris au piège, essayez de me le trouver. Bonne nuit à vous aussi. Demain vous resterez avec Desgenettes. Il ne faut plus que la peste nous enlève d'autres combattants.

*

* *

Les premiers coups de canon trouvèrent les Français debout depuis déjà près d'une heure.

Les hommes avaient tous senti l'impatience d'en finir de leurs chefs, et l'armée, saisie d'une sorte de fièvre, s'était à plusieurs reprises précipitée à l'assaut de la ville. L'écroulement d'une des tours d'angle vers midi souleva encore plus son ardeur. Les assiégés, qui avaient tenté en début de journée quelques sorties, se cantonnaient maintenant à la défense des brèches.

C'est alors que Boursinhac, tout excité, vint dénicher Cronberg. Il avait retrouvé un camarade à lui, qui l'avait aidé à Alexandrie quelques jours puis était reparti au Caire. Cet ami avait fait prisonnier un groupe de cinq Mamelouks. Il avait ensuite enfermé avec eux un jeune Égyptien à sa solde pour essayer d'apprendre s'il y avait une faille dans la défense de la forteresse. Il avait fait chou blanc quant à la forteresse, mais les Mamelouks avaient mentionné un balafré qui était arrivé récemment et semblait avoir beaucoup d'influence. Boursinhac leur avait montré le dessin, et les hommes l'avaient reconnu.

— J'en ai abattu un devant les autres. Ils ont parlé sans plus de réserve.

— Et ils étaient formels ?

— Ils avaient l'air. Sa blessure paraît très spectaculaire…

— Il est donc ici. Merci, Boursinhac, merci. Vous pouvez retourner vous battre maintenant, si vous le voulez.

Boursinhac arbora un sourire carnassier.

— Je crois que je vais y aller, effectivement…

Cronberg serra les poings.

— Maintenant que je t'ai marqué, tu ne peux plus m'échapper, mon bonhomme.

Il se sentait partagé entre l'excitation de la chasse et une haine féroce.

La ville céda en début d'après-midi. Les soldats s'y répandirent comme une marée, et les pillages commencèrent. Bonaparte recommanda à ses généraux de laisser faire.

— Les hommes l'ont bien mérité, et il faut refaire nos réserves. Quarante-huit heures à ce régime, et les derniers résistants se rendront, croyez-moi.

Les deux jours qui suivirent furent cruels aux habitants de Jaffa. La fumée des maisons incendiées montait, de plus en plus nourrie, dans le ciel. Trouvant peu de richesses, les soldats se rabattaient sur les femmes. Les viols avaient lieu sur le seuil des maisons, dans la rue, en public, à plusieurs. L'absence de vin accentuait la cruauté des conquérants, qui se précipitèrent sur les très rares bouteilles d'eau-de-vie qu'ils trouvèrent. La découverte de quelques harems bien maigrelets fut prétexte à des débordements odieux. Inquiet de ces déferlements, le général Robin était allé jusqu'à tirer le sabre contre des membres de sa propre brigade. Certains des hommes foulaient du pied leurs camarades tombés à terre. Bonaparte n'empêcha pas cette folie inévitable, espérant bien que sa rumeur parviendrait jusqu'à Saint-Jean-d'Acre et terroriserait la citadelle.

Il ne fallut que deux heures pour que la ville se rende. Crozier et Beauharnais, qui avaient revêtu pour l'occasion des habits dont on se demandait comment ils avaient fait pour les garder aussi propres, accueillaient les notables défaits. Ceux-ci avaient envoyé une délégation, drapeau blanc au bras, armes dégainées et pointées vers le bas. À peine Beauharnais s'était-il avancé que les soldats restés dehors regroupèrent les prisonniers. Pendant ce temps, les pillages continuaient.

Cronberg avait rejoint Beauharnais et Crozier.

— Il en reste là-bas.

Un homme à cheval s'était arrêté à côté de Beauharnais. Il n'y avait plus que quelques irréductibles. La garnison de Jaffa était composée d'une troupe hétéroclite : Turcs, Albanais, Kurdes, gens d'Alep, Égyptiens, Anatoliens, Soudanais, Arnautes s'étaient regroupés, unis par le seul ciment du fanatisme religieux.

— Ils sont encore des centaines, dans un caravansérail. Ils refusent de se rendre.

— C'est loin ?

— Cinq cents mètres.

— Crozier, restez ici : je vais aller voir. Sébastien, vous m'accompagnez ?

Les deux hommes suivirent le cavalier qui avait mis sa bête au pas. Ils parvinrent à un bâtiment, une grande cour fermée par deux énormes masses de bois. Les hommes du général Lannes piétinaient devant et commençaient à s'impatienter. L'odeur des pillages flottait encore parmi eux, et certains avaient taché leurs uniformes d'un sang qui ne venait pas du combat.

— Foutons le feu, mon général, cria l'un d'entre eux. On ne va pas s'emmerder avec ces rebelles.

— Vous n'y pensez pas, mon général, lança Beauharnais à Lannes, à peine l'eut-il rejoint.

— Bien sûr que non, mais il faut que ces hommes sortent.

— Qui est là-dedans ?

— Surtout des Maghrébins et des Arnautes, à ce qu'on m'a dit. Je vais être obligé d'ouvrir le feu. Mais ce sera un nouveau massacre.

— Ne pouvons-nous pas plutôt négocier ?

— Essayez. Ils ont l'air peu ouverts au dialogue, mais pourquoi pas ?

Beauharnais demanda un traducteur.

— Dis-leur de se rendre, sinon nous allons tous les massacrer.

La voix du traducteur s'éleva, un peu trop grêle pour la circonstance. Une minute s'écoula, puis deux, qui parurent extrêmement longues. Gorgés de viols et de pillage, les hommes étaient à la fois surexcités et épuisés.

Enfin une voix se fit entendre en arabe.

— Ils disent qu'ils veulent bien se rendre si on leur laisse la vie sauve.

Beauharnais n'hésita pas.

— Nous vous la promettons.

L'émissaire entra à nouveau dans le fortin. Un quart d'heure plus tard, les assiégés commencèrent à sortir. Ils s'arrêtèrent devant leurs vainqueurs et déposèrent les armes à leurs pieds. Quand cela fut fini, les Français entourèrent la troupe et la conduisirent au quartier général. Une file de trois mille hommes s'étirait, entourée d'à peine une cinquantaine de gardes.

— Je crois que cette docilité est la preuve de leur bonne volonté, nota Beauharnais, qui se pavanait de la bonne conclusion de sa mission.

Quand ils arrivèrent près du quartier général, Bonaparte était assis sur un canon. Il discutait tranquillement avec Lannes. Eugène s'avança, tout content de lui.

— Mon général, nous avons fait quelques prisonniers.

Il souriait, content de sa malice. Bonaparte se retourna, vit la longue colonne et se mit soudain en colère.

— Mais que voulez-vous que je fasse de tout ce monde ? Qu'est-ce que vous me faites là ?

Beauharnais recula, pétrifié par cet accueil. Il bafouilla. Crozier, courageusement, vint à son aide.

— Mon général, nous avons voulu éviter une effusion de sang. S'il avait fallu prendre d'assaut la cour où se terraient ces gens, beaucoup d'entre nous auraient été tués.

Bonaparte se rapprocha de la colonne de prisonniers, dont peu baissaient les yeux.

— Qu'est-ce que vous voulez que j'en fasse ? répéta-t-il.

Il mit un grand coup de pied dans le mollet d'un des captifs, qui retint un cri de douleur, et se mit à marcher en proie à une vive excitation.

— Il ne manquait plus que ça ! Eugène, j'attendais autre chose de vous ! Qu'on me les garde un moment, et nous verrons. Faites-les asseoir.

Bonaparte partit. Beauharnais était effondré, peu habitué à être traité de la sorte. Les soldats firent asseoir les trois mille hommes, qui renâclèrent.

Soudain, Sébastien se figea. Caché par d'autres prisonniers, il avait cru apercevoir un visage balafré de deux cicatrices encore rouges quand la gallabieh d'un captif qui se baissait était tombée de façon très rapide.

— Là, s'écria-t-il en se précipitant, sortez-moi les hommes du fond. Ceux-là. Non, pas ceux-là, ceux d'à côté !

Il cria, sans tenir compte des regards étonnés qui se fixaient sur lui.

— Les trois, là !

Il était entré parmi les prisonniers, les bousculant. Ceux qui étaient assis se levaient, d'autres commençaient à montrer le poing. La tension montait très vite.

Deux soldats tentèrent d'extraire les trois hommes que Sébastien, qui peinait à avancer, désignait du doigt.

— Oui, c'est ça, ceux-là, surtout celui avec la capuche. Oui, amenez-les.

Les soldats sortirent les trois hommes. Ils les installèrent côte à côte, debout.

Cronberg s'approcha, leur arracha plus qu'il ne les leur enleva leurs capuches.

Et il se mit à trembler.

L'un des hommes avait effectivement le visage barré d'une double cicatrice, qui avait transformé en grimace son sourire.

Un sourire qui avait été celui de Lotfi El-Bakri.

Chapitre 23

Ils restèrent ainsi à se regarder. Lotfi n'essayait pas de se cacher. Son visage n'exprimait plus qu'une résolution sans faille et un certain soulagement.

Cronberg eut comme un étourdissement. Il sentit petit à petit le bruit revenir à ses oreilles, les odeurs fortes montant de la troupe d'hommes s'imposer à nouveau à ses narines. On le secouait, on lui parlait. Il fit un effort pour mieux entendre, se retourna et vit l'un des soldats qui le soutenait.

— Monsieur, ça va ? Monsieur ? Vous êtes tout pâle.

Il dégagea son bras, un peu brutalement. Il avait le sentiment que tout s'était arrêté, que le monde entier le regardait.

— Ça va, merci. Ce n'est rien, juste… juste la chaleur…

Il se tourna. Bonaparte et les généraux le fixaient.

— Un problème, Sébastien ? s'enquit Bonaparte.

— Non, mon général. Une… une idée simplement. Qu'allez-vous… Qu'allez-vous faire de ces hommes ? Il faudrait que je m'entretienne avec l'un d'entre eux, je crois que…

Il sentait qu'il peinait à s'exprimer. Placés derrière lui, plus éloignés et au soleil, Bonaparte et les généraux n'avaient sans doute pas aperçu les balafres de Lotfi, qui avait vite remis sa capuche. Il ne fallait pas qu'ils les voient : sinon le général en chef ferait tout de suite un lien entre l'homme que cherchait Cronberg et Lotfi, et Dieu seul sait ce qui arriverait.

— Il faut renvoyer les natifs d'Égypte chez eux, répondit Bonaparte, qui semblait se parler à lui-même.

L'état-major s'était figé. Le général se mit à marcher de long en large.

— Mais les autres ? Hein, les autres ? Les autres...

Il marqua un temps d'arrêt, et ceux qui tentèrent plus tard de l'excuser voulurent y voir le poids de la dureté de la décision qu'il allait prendre.

— Les autres, il faut les tuer. En attendant, ramenez-les au caravansérail d'où vous les avez sortis.

Plus personne ne dit un mot, tant tous avaient le souffle coupé.

— Les... Les tuer, mon général ? demanda enfin Lannes.

Il fallut plus d'une heure pour ramener les prisonniers là où on les avait pris. Ne comprenant pas le sens de cet aller-retour, beaucoup étaient nettement moins dociles, et une centaine de nouveaux soldats dut se joindre aux précédents. À peine Bonaparte s'était-il éloigné, suivi comme un chien par un Beauharnais effondré et son état-major révolté, que Cronberg fit sortir Lotfi de la foule. Bouleversé par la présence de son ancien ami, qu'il n'avait pas lâché des yeux pendant que Bonaparte parlait, Sébastien avait à peine compris quel stupéfiant massacre le général venait de décider.

— Vous deux, restez avec moi, dit-il. Il faut que je parle à cet homme.

Les soldats emmenèrent Lotfi, qui ne résista pas. Il cria trois phrases en arabe à un de ses compagnons, qui lui répondit.

— Assieds-toi, ordonna Cronberg à Lotfi quand ils trouvèrent un arbre sous lequel se mettre à l'ombre.

Lotfi s'assit. Il n'avait toujours rien dit et regardait Sébastien avec un regard parfaitement serein, comme si le fait de ne plus devoir mentir l'avait libéré. Sébastien avait du mal à soutenir l'éclat de la lumière et préféra se mettre dos au soleil.

— Alors, c'était toi ?

Les mots figeaient ce que ni l'un ni l'autre ne pouvait plus nier.

— Moi qui quoi ?

— Accorde-moi au moins de ne pas me prendre pour un imbécile ! Toi qui as tenté de nous nuire depuis notre arrivée au Caire… Toi qui es à l'origine de ces odieux traquenards qui ont commencé avec le meurtre du Diwan…

— Moi parmi beaucoup d'autres. Notre lutte est collective.

— Lutte ? Mais lutte contre quoi ?

— Contre quoi ?

Lotfi avait presque crié.

— Contre quoi ? Tu oses me le demander ? Mais contre vous, contre votre tentative d'abaisser mon peuple, contre votre volonté de nous transformer, de nous abrutir, de nous…

— Mais c'était pour votre bien ! Nous vous apportions les idées de la Révolution. Toi-même tu les as aimées, ces idées, tu me l'as dit cent fois. Ou me mentais-tu là aussi ?

— Mais, justement ! C'est bien parce que je les ai aimées que je ne pouvais supporter que ceux qui me les ont enseignées viennent les bafouer dans mon propre pays. C'est vous qui m'avez donné cette envie de croire en la liberté, de penser que les peuples avaient le droit de disposer d'eux-mêmes. Avant d'arriver à Paris, je n'en avais aucune idée. Je pensais que ma vie pouvait être, devait être même, celle d'un pacha heureux, avec ses femmes et le peuple pour le servir. Vous m'avez appris qu'il pouvait y avoir autre chose. Ah, je l'ai attendue, votre venue, quand je suis rentré ! J'ai tenté de mon côté de mettre en accord ma vie avec mes nouvelles idées. Et peu d'Égyptiens ont dû être aussi heureux que moi quand vous avez débarqué à Alexandrie. J'ai vite déchanté. Vous veniez avec une armée. Ce sont pourtant vos philosophes, vos inspirateurs, qui ont remis en question cette idée de conquérir d'autres pays. Avec vos soldats, que nous apportez-vous de plus ?

— Notre supériorité. Ne le prends pas mal, Lotfi. Nous sommes la terre de la raison. Non que vous ne l'ayez pas entrevue : elle est née en Égypte, je te l'accorde, et est passée chez les Arabes après s'être développée chez les Grecs, mais elle a trouvé sa vraie patrie en Europe. Une culture qui s'appuie sur la raison est forcément supérieure à une autre qui s'appuie encore sur le despotisme. C'est ce despotisme qui cause le retard des Persans, des Chinois et des Ottomans. Et c'est pour vous en délivrer que nous sommes ici.

— Et nous apporter la civilisation ?

— La civilisation n'est que ce mouvement de l'histoire qui amène à la domestication des violences. Vas-tu nier que vous en ayez besoin ?

— Et prétendras-tu que le spectacle qu'a donné la France et sa guillotine en est un bon exemple ?

Sébastien fit un signe et demanda de l'eau à l'un des soldats.

— Dès le début, nous avons été proches de vous, avons essayé de vous comprendre. Bonaparte n'a eu que des mots sympathiques pour l'islam et l'Alcoran.

— As-tu réellement cru que quelques vagues marques de sympathie allaient nous suffire ?

— Bonaparte était sincère.

— Bonaparte n'est jamais sincère. Il se rêve tantôt en Scipion, tantôt en Alexandre, et nous n'avons été là que parce qu'il a à son tour rêvé d'un empire d'Orient à sa botte.

— Vous nous avez pourtant accueillis avec ferveur.

— Parce que nous espérions que vous alliez enfin réduire le pouvoir des Mamelouks et les punir des avanies qu'ils nous ont fait subir. Mais personne n'a été dupe. Vous vous êtes laissé abuser sans rien savoir de la façon dont nous pensions et réagissions. Il a suffi qu'une foule servile acclame votre chef pendant la fête du Nil pour que, tout de suite, vous pensiez que vous étiez accueillis en triomphe. Cela a peut-être marché avec mon père et quelques autres notables aveuglés par leur intérêt. Mais pas avec nous, qui sommes le futur de ce pays, si gravement que vous le meurtrissiez...

— Le meurtrir ?

— Si le pouvoir politique se montre injuste ou tyrannique, il attaque la loi islamique elle-même. La rébellion est alors un devoir.

— C'est exactement ce qu'a inscrit notre Révolution au cœur des peuples.

— Mais c'était vous les oppresseurs, cette fois. Notre devoir était de vous résister. Et nous l'avons fait. Dès votre arrivée à Alexandrie, vous avez multiplié les atrocités : les villages qui prétendaient résister étaient mis hors d'état de nuire et pillés, nos femmes violées, les enfants pas toujours épargnés.

— Combien de nos soldats ont été décapités, quand ils n'étaient pas eux aussi torturés et parfois violés, si odieux que soit cet acte contre-nature ?

— Mais nous étions chez nous…

— Et vous refusiez par la violence les bienfaits que nous vous apportions.

— Que vous nous imposiez ! Vous n'avez fait que nous nier. Que croyez-vous que cela ait pu nous faire quand vous avez mis ce Grec à la tête de notre police ? Pensiez-vous que c'était nous considérer que de charger un étranger, un chrétien de surcroît, de notre police ?

— Un chrétien qui avait été au service d'un des vôtres !

— Et alors ? Qu'il ait déjà usurpé un titre lui donnait-il le droit d'en recevoir un second ?

— Nous avons immédiatement reconnu et cherché à travailler avec vos ulémas, ton père en premier.

— Mais nos ulémas étaient de votre côté. Ils ont toujours œuvré avec les plus riches des commerçants et les militaires au pouvoir. D'où crois-tu que mon père tienne sa fortune ? Il spécule sur le café et les épices, en accord avec les marchands. Il touche en sous-main les dividendes d'un hammam. Regarde bien ses positions : elles ne sont que très rarement en faveur du peuple et quand elles le sont, ce n'est que par intérêt.

— Comment t'est venue cette idée atroce de répandre la peste parmi nous ?

— J'ai bien observé vos batailles. Vous êtes les plus forts, et votre Bonaparte a du génie. Il n'y avait qu'un moyen de vous combattre, c'était utiliser plus fort que vous. Je l'ai compris en regardant vos soldats transpirer sous la chaleur : il nous fallait une arme plus puissante encore que le soleil. La maladie en est une.

— Mais personne ne sait vraiment comment la peste se transmet !

— Personne ne le sait parmi vous. Mais parmi nous ? Vous n'avez pas fini d'être surpris par les peuples que vous envahirez...

— Et il te fallait pour cela tuer de pauvres prostitués ?

— Autant débarrasser la terre d'un pécheur que d'un homme de bien... Vous en avez noyé vous-mêmes pour des raisons bien plus modestes...

— Et pourquoi ce signe sur les corps ?

Lotfi hésita un peu.

— Il y a des gens que j'aurais préféré ne pas rencontrer, mais on ne peut pas se battre sans se salir les mains. J'ai été amené à approcher des tribus bédouines. L'une d'entre elles se livrait au commerce de prostitués et les marquait pour maintenir la terreur sur son cheptel. Il était plus facile de traiter avec elle que de chercher des victimes au hasard.

— Mais quel était son intérêt ?

— Elle n'en avait pas. Ce sont des commerçants. Moi seul y trouvais mon compte...

— Tu... Tu as acheté ces gens pour les tuer.

Le visage de Lotfi se durcit.

— Et tes alliés ? reprit Cronberg.

— Tu ne m'en voudras pas de ne pas donner mes camarades. Sache que nous sommes nombreux, et que nous le serons de plus en plus. Je vais disparaître sans doute assez vite. Mais d'autres seront là pour me remplacer.

— Ton cousin faisait partie de votre groupe ? Celui dont tu m'as montré le cadavre dans al-Azhar ?

— Oui. La maison de mon père nous servait effectivement de lieu de réunion.

— Mais ce n'était pas lui le principal instigateur de tout cela. Tu savais qu'il serait parmi les morts de la mosquée avant de me le jeter en pâture ?

— Tout ce que j'avais appris l'indiquait. J'aurais aussi pu ne pas le trouver, mais peut-être des forces qui nous dépassent étaient-elles là aussi à l'œuvre. Je suis convaincu qu'il se serait fortement réjoui de nous avoir aidés même après sa mort.

— Et... Ta sœur ? Elle était avec vous ?

— Je l'y ai poussée. C'est elle qui t'a aiguillé vers les Bédouins du désert le jour où tu l'as emmenée aux pyramides, en se prêtant à cette odieuse comédie que mon père avait imaginée. Mais elle t'aimait bien, et c'est d'ailleurs à sa demande que je me suis arrangé pour que ce soit toi qui sois chargé par les Bédouins de venir remettre la lettre à Bonaparte. Tu avais ainsi une chance de t'en tirer.

— Mais tu me détestais donc ?

Le cri avait échappé à Cronberg.

— Non, bien sûr. Mais ça n'a rien à voir avec mes actions. Ce combat était nécessaire, pour mon pays et pour la gloire de Dieu. Mes sentiments personnels n'ont rien à voir là-dedans.

— Et ton père, tu l'aurais sacrifié aussi ?

— Il l'aurait fallu. Plus tard. Pour l'instant il m'était plus utile à cacher mes activités qu'il ne l'aurait été en disparaissant. Qui aurait soupçonné le fils d'un aussi éminent ami des Français ?

— Tu es d'un fanatisme absolu !

— C'est votre Révolution qui m'a fait tel que je suis. Je ne sais où s'arrêtent les désirs de conquête de votre général, mais je sais que les feux que vous avez allumés vont incendier le monde entier et que vous serez les premiers à vous y brûler. Vous avez ouvert la boîte d'Hercule…

— De Pandore, le reprit machinalement Sébastien.

— De Pandore, pardon. J'ai fait mes humanités dans un univers plus rude que le tien.

— Je n'en suis pas certain, mais le problème n'est pas là. Que vas-tu faire maintenant ?

— Ce à quoi je me suis préparé depuis longtemps. Mourir.

— Et mourir pour quoi ?

— Pour que tu ne puisses pas dire que j'ai choisi la servitude à la place.

Cronberg comprit que tout était dit.

— Emmenez-le, ordonna-t-il aux soldats.

Ces derniers s'emparèrent de Lotfi et le ramenèrent vers le caravansérail.

*

* *

La décision de Bonaparte de faire tuer les prisonniers avait suscité de grands remous dans l'état-major. Il sentit cette révolte et réunit un conseil de guerre, qui se rassembla trois fois de suite et, trois fois de suite, échoua à prendre une décision. Bonaparte n'intervenait pas, mais écoutait les débats : sans doute eussent-ils été beaucoup plus violents s'il n'avait pas été là, ce qu'il savait parfaitement. Il fixa une dernière réunion et y convia tous les généraux de division. Sébastien, même s'il n'en avait pas le titre, put y assister.

Certains, Berthier en tête, étaient totalement remontés contre cette décision qui, affirma-t-il, jetterait une ombre sur toute la campagne.

— À quoi bon avoir amené ici tant de savants pour montrer à ces gens la grandeur de notre savoir si c'est pour se déchaîner ainsi ?

Les phrases restaient en suspens, personne n'osant aller jusqu'à qualifier de barbare et d'inhumaine cette décision. Personne sauf Desgenettes, qui entra soudain dans la tente et se mit à vociférer contre la monstruosité qui se préparait. Bonaparte se leva et le prit de haut, conspuant l'audace de ceux qui outrepassaient leur rang et exigeant le départ du docteur.

Puis, devant les généraux douchés par cette violence, il reprit ses arguments. La tension était montée d'un cran, et l'exaspération se sentait dans sa voix.

— Nous n'avons rien pour les nourrir. Nos troupes meurent déjà de faim...

— Ce n'est plus vrai, mon général, dit courageusement Lannes. Le pillage de la ville a refait nos réserves, et nous pourrions nourrir ces hommes, jusqu'à Saint-Jean-d'Acre en tout cas. Là, nul doute qu'une nouvelle victoire nous offrira de nouvelles réserves.

— De toute façon, nous ne pourrions pas les renvoyer en Égypte, nous n'avons pas de bateaux. Et voulez-vous que nous les relâchions ? Ils ne feraient que grossir le rang de nos ennemis. Souhaitez-vous que demain vos soldats soient tués par ceux que vous aurez fait libérer aujourd'hui ? Messieurs, il n'y a qu'une solution. Qu'elle soit rude, je vous l'accorde. Et je ne la prends pas de gaieté de cœur, croyez-moi. Mais ce que j'ai en tête, c'est votre sécurité à vous, non celle de quelques rebelles qui sont venus se perdre dans une cause indigne. Allons, messieurs, je vous ai écouté et je crois que je vous ai répondu. Finissons de tergiverser : décidez-vous maintenant en votre âme et conscience, et allons préparer les batailles qu'il nous reste à mener.

Courageusement, ce qu'on attendait moins de lui que d'autres, Berthier tenta une dernière estocade et le premier parla d'inhumanité.

— Puisque vous avez des émotions de cet ordre, ne faites jamais de politique, Berthier, lança, cinglant, le général. Retirez-vous plutôt dans un couvent. Et, si vous m'en croyez, n'en sortez jamais.

La leçon reçue par Berthier servit à tous. Les généraux votèrent la décision prise par leur chef. Mais quand ils sortirent, plusieurs étaient d'une pâleur de marbre.

— Ce sera fait demain matin. Vous les emmènerez près de la mer. Ne laissez rien filtrer : ça ne ferait que compliquer la chose.

Le massacre était désormais inévitable.

Et Cronberg comprit qu'il n'avait plus que la nuit pour sauver Lotfi.

Chapitre 24

Il marcha un moment, tentant de trouver un moyen de faire évader Lotfi. Sa décision avait été prise avec une facilité qui l'étonnait lui-même. Le mot de trahison ne lui était même pas venu à l'esprit : il aidait un ami et ne voyait pas plus loin que cela, découvrant soudain des vertus extrêmes à un sentiment qu'il avait souvent traité avec un aimable cynisme.

La garde avait été doublée autour du caravansérail, et c'était maintenant une cinquantaine d'hommes en armes qui encerclaient presque le bâtiment.

— Serait-il possible de revoir l'homme avec qui j'ai parlé tout à l'heure ? demanda-t-il à l'un des commandants du bataillon.

— Il faut un ordre du général en chef. Sans lui, plus aucun contact n'est possible avec les prisonniers.

— Si je reviens avec l'ordre, je pourrai donc…

— Bien sûr, monsieur.

Cronberg remonta vers le campement des chefs tout en réfléchissant. Même si Bonaparte lui signait un ordre lui permettant de réinterroger Lotfi, cela serait insuffisant pour le faire sortir de prison.

Il lui fallait un ordre de transfert, et ça, jamais Bonaparte ne le lui donnerait. Devrait-il alors... ? Il hésita un peu devant l'audace d'un tel projet, puis se résolut de le mener à bien.

Il alla droit sur la tente de Bourrienne. Le secrétaire n'était heureusement pas là. Avisant un écritoire de campagne et du papier, il commença à écrire avec soin un ordre de transfert. Si quelqu'un entrait, il prétendrait qu'il laissait un message au général.

Mais personne ne vint. Il fouilla dans les tiroirs de l'écritoire et pesta : le sceau de Bonaparte n'était pas là. Sans lui, sa ruse risquait d'être éventée. Il lui fallait le trouver, et il n'y avait qu'un seul endroit où il pouvait être : le bureau du général lui-même.

Il ressortit. La tente de Bonaparte n'était pas loin, et la nuit tombante l'aidait.

Il tressaillit soudain. Une voix tonitruante venait de le faire sursauter. C'était Desgenettes, qui tournait en rond non loin de la tente de Bonaparte.

— C'est monstrueux ! On ne peut pas laisser faire ça.

Le docteur était visiblement hors de lui.

— J'attends le général pour lui dire le fond de ma pensée. Mais enfin, vous qui avez son oreille, vous ne pouvez donc rien faire ? Ne me dites pas que vous approuvez ! Ce n'est plus la guerre, c'est de l'assassinat. Pourquoi n'y a-t-il que moi que cela semble révolter ?

Sébastien lui fit face. Desgenettes tombait très mal. Il devait rapidement porter son ordre, et toute discussion avec le bouillant docteur lui ferait perdre trop de temps.

— Nicolas René, il est le chef. Je n'approuve pas plus que vous cette exécution. Mais dans le fond, si elle est plus massive, est-elle très différente de toutes celles dont nous nous sommes jusque-là si bien accommodés ?

— Mais bien sûr ! Parce que ces gens sont désarmés. Vous savez bien que tous ses arguments ne sont que des prétextes : on peut nourrir ces hommes, on peut les libérer, on peut les garder et essayer de les convertir à notre cause. Beaucoup sont des mercenaires qui seront ravis de sauver leur peau... Pourquoi ne pas leur donner cette chance ?

— Notre général en a décidé autrement. Je n'approuve pas ce geste, mais il a sans doute ses raisons. La guerre est faite d'horreurs, Desgenettes. Pourquoi certaines seraient-elles acceptables et d'autres non ?

— Ils se sont rendus pour avoir la vie sauve ! Il y a eu des promesses de faites.

— Et il n'y en avait eu aucune de faite aux civils qui sont pillés et violés depuis deux jours, c'est vrai. Le geste de Bonaparte est plus sévère que celui de nos troupes : il n'est pas plus horrible.

Sébastien ne croyait qu'à moitié ce qu'il disait, mais il savait qu'il ne se débarrasserait de Desgenettes qu'en le mettant encore plus en colère. S'il lui montrait le moindre accord, il allait devoir supporter son indignation pendant des heures. Et il n'avait pas le temps de se le permettre.

— Il n'y aura donc personne ici pour avoir un minimum d'humanité ?

Desgenettes tourna les talons, furieux.

Sébastien continua de se diriger vers la tente de Bonaparte. Une sentinelle était devant. Par chance, il la connaissait.

— Je dois déposer ce papier sur le bureau du général. Puis-je... ?

— Allez-y. Mais faites vite.

Sébastien entra, le cœur battant. Bonaparte laissait traîner ses sceaux dans un tiroir de son bureau. Il se glissa derrière. Mais la nuit l'empêchait de voir quoi que ce soit. Il tâta, trouva une bougie, battit un briquet et l'alluma. La lueur pâle et jaune emprisonna dans son halo quelques objets. D'un bâton de cire, il fit couler quelques gouttes sur l'ordre de transfert plié en quatre. Puis il attrapa le sceau et l'inscrivit dans la pâte encore molle.

— Vous vouliez me voir ? dit soudain une voix derrière lui.

C'était Bonaparte.

Il n'eut que le temps de finir de fourrer dans sa poche l'ordre maintenant officiel.

— Eh bien ? Vous ne dites mot ? Vous pensiez m'attendre longtemps ?

Désespéré, Cronberg jeta un œil vers le tiroir où il avait laissé retomber le sceau, et du genou le repoussa.

— C'est moi qui avais laissé cette bougie allumée ?

— Oui. Je... Je m'apprêtais à l'éteindre...

— Ce souci d'économie vous honore. Mais ce n'est pas pour vérifier l'état de mes luminaires que vous êtes venu dans ma tente ?

— Non... Je...

D'un coup, Sébastien se sentit vide, sans idée, muet comme sa proie devant le serpent, et le regard de Bonaparte, dans lequel perçait la méfiance, ne l'aidait guère.

— Je... Excusez-moi, mais cette démarche va peut-être vous paraître hors de propos, et c'est pourquoi maintenant je... J'hésite à vous en parler.

— Vous m'avez habitué à plus d'aisance et à moins de savoir-vivre. Allons, parlez ! Je vous promets que ma colère vous épargnera.

— Je... D'accord, mon général, mais souvenez-vous que vous m'avez autorisé à parler.

Bonaparte acquiesça d'un regard, pendant qu'il ôtait ses gants et contourna Sébastien pour s'asseoir à son bureau.

— Je viens de voir le Dr Desgenettes. Il m'a demandé de... d'intervenir à nouveau auprès de vous pour...

— Pourquoi ? Pour cette histoire de prisonniers ? Encore ? Mais qu'est-ce que vous avez tous, à la fin ? Vous ne pouvez pas comprendre que la guerre a ses nécessités, elle aussi, et que même moi je ne peux pas toujours m'y soustraire !

Bonaparte avait à nouveau élevé le ton.

— Pardon. Je vous ai promis de vous écouter, mais je ne vais pas le faire : j'en ai tellement entendu depuis que j'ai fait ce choix douloureux que je doute de la nouveauté de vos arguments. En revanche, je vais vous dire, et cela clora le sujet, la raison majeure de ce choix. Non, nous n'avons pas assez de nourriture pour ces hommes, mais nous aurions pu en trouver. Oui, certains d'entre eux seraient retournés à l'ennemi, mais sans doute pas assez pour modifier quoi que ce soit sur le chemin de nos victoires. La vraie raison, c'est que je veux terroriser Djezzar Pacha.

Il s'était assis, et la bougie dessinait sur son visage des ombres fuyantes.

— Nous devons prendre Acre. Djezzar est déterminé à résister. L'écho de ce qui s'est passé ici, et qui sera sans doute amplifié par la rumeur, lui fera comprendre le sort qui l'attend. Et ce qui vous paraît inhumain aujourd'hui sauvera sans doute beaucoup de vies quand, demain, Acre se rendra.

Cronberg s'inclina. Son cœur battait la chamade, et il bénissait le ciel que l'heure tardive lui ait évité la lumière du jour. Puis il sortit, comme s'il avait été convaincu par les explications qu'il avait à peine entendues.

Il se rendit tout de suite vers le caravansérail où les prisonniers étaient enfermés et retrouva le soldat qui l'avait envoyé chez Bonaparte. L'homme appela un de ses collègues.

— Emmène le citoyen trouver l'homme qu'il cherche. Vous savez où il est ?

— Non, mais je le connais. Je saurai le trouver.

Sébastien entra. Beaucoup des hommes avaient été entravés, et quelques soldats, accompagnés d'hommes fusil au poing, continuaient de les attacher. Il régnait une odeur très pénible. Plusieurs des prisonniers avaient fait sur eux, n'ayant pas toujours le temps d'enlever leurs habits. L'hostilité était palpable, et certains posèrent en voyant Cronberg des questions auxquelles il fut incapable de répondre.

— Ils veulent savoir quand ils seront libérés, traduisit un des prisonniers.

— Je ne sais pas, répondit Cronberg. Très vite, je suppose.

Le soldat qui l'accompagnait promenait une lanterne de visage en visage. Le traducteur demandait où était l'homme avec deux balafres.

Il fallut vingt bonnes minutes à passer ainsi d'homme en homme pour que Lotfi soit enfin débusqué.

Quand la lanterne l'éclaira, il tenta de cacher son visage.

— C'est lui, s'écria Sébastien. Veuillez l'emmener dehors : il part avec moi.

— Voulez-vous que nous le détachions ?

— Non, laissez-le entravé.

— Partir ? Où dois-je partir ? Il n'est pas question que je quitte mes amis.

Lotfi avait parfaitement entendu le dialogue entre Cronberg et le soldat.

— Tu vas être transféré.

— Pourquoi moi ? Pourquoi pas tout le monde ? Si je suis libéré, ce sera en même temps que tout le monde, ou pas du tout.

Cronberg parut soudain accablé.

— Je n'ai pas de temps à perdre avec ta noblesse d'âme. Embarquez-le, vous deux.

Les soldats hésitèrent. Autour de Lotfi, trois ou quatre autres individus se massèrent. Un grondement parcourut la foule. La situation devint d'un coup très tendue.

— Dites-leur que nous allons le libérer, et que les autres le seront par petits groupes dans l'heure qui vient, dit Sébastien au traducteur.

Ce dernier s'exécuta. Les prisonniers avaient tellement envie de croire à ce mensonge que la tension retomba. Sébastien saisit le moment.

— Allons, vite !

Et les deux soldats entraînèrent Lotfi, dont Sébastien saisit le bras.

— Ne fais pas d'histoires. Ça serait dommage pour tout le monde.

Lotfi comprit-il ce qui se passait, et céda-t-il un instant au bonheur de croire qu'il pouvait être sauvé ? En tout cas, il ne résista plus. À une vingtaine de mètres, il se retourna vers ses compagnons et leur lança une dernière phrase.

— Merci, messieurs. Je prends cet homme en charge à partir de maintenant.

Les deux soldats repartirent.

Sébastien ordonna à Lotfi de le suivre. Ils passèrent un autre poste de garde et s'enfoncèrent dans le noir de la nuit, qu'atténuait la lueur des nombreuses étoiles.

Lotfi prit la parole. Sa voix n'avait plus la fermeté de la veille.

— Tu veux me tuer de ta main ? Me garder pour toi ? Pourquoi, Sébastien ? Par vengeance ? Parce que tu as l'impression que je t'ai trahi ? Mais nous ne comptons pas dans cette histoire. C'est autre chose qui est en jeu. Nous aurions pu être amis, tu sais. Mais pas là, pas dans ces temps troublés. Ailleurs, oui, bien sûr, à un autre moment. Tu comprends ça ? Dis, tu comprends ?

Il tendait vers Cronberg ses mains entravées.

— Tu veux en profiter ? Parce que je suis désarmé ? Cela est indigne de toi. Indigne de nous.

Soudain il tomba à genoux.

— Si c'est ce que tu veux, finis-en vite. Ne joue pas au chat et à la souris. Accorde-moi au moins de frapper vite et directement.

Sébastien sortit de sa gaine le poignard qu'il gardait toujours attaché à sa botte. Fut-il tenté d'accéder au vœu de Lotfi ? Il se le demanda parfois par la suite. Mais d'un geste rapide il coupa ses liens.

Ce dernier releva vers lui une tête stupéfaite, que la joie inonda quand il comprit le geste de Cronberg.

— Tu...

— Pars. Vite, avant que je change d'avis.

Lotfi fit deux pas vers la dune, puis se retourna.

— Tu sais que je vais continuer d'œuvrer contre les tiens ?

— Je sais.

— Tu les trahis pour moi ?

— N'employons pas de grands mots, ils ne veulent souvent rien dire. Je te rends la liberté parce que je ne supporte pas que tu sois assassiné comme vont l'être demain tous ceux qui se sont rebellés.

Lotfi pâlit.

— Assassinés ? Tu veux dire que...

— Qu'il va les tuer demain ? Oui. On ne peut pas s'encombrer de prisonniers, et il veut terroriser Djezzar.

— Des prisonniers ? Des hommes désarmés...

Lotfi regarda vers le camp dont les lumières palpitaient encore. La joie avait quitté ses traits.

— Ramène-moi parmi eux. Je ne peux pas partir comme cela, en les abandonnant à cette ultime lâcheté.

— Tu es fou ? Je t'offre la vic, la liberté, la... la possibilité de poursuivre ton combat. Je te libère pour que tu luttes encore contre nous. Et tu veux renoncer ? Tu veux retourner mourir ? Mais ta mort sera inutile. Dehors et vivant, tu serviras encore à quelque chose.

— Je ne pourrais plus vivre après les avoir abandonnés. Cette tuerie est monstrueuse. Elle restera dans l'histoire comme une infamic, et elle fera plus pour vous abattre qu'aucune bataille.

— Et tu veux en être ? Mais par quel absurde orgueil ?

— Parce que c'est mon destin. Te rencontrer ne l'était pas. M'échapper ne l'est pas non plus. Je ne pourrais plus vivre après cela.

— Je ne savais pas que vous, les musulmans, aviez aussi le goût du martyre.

— Ce n'est pas de cela qu'il s'agit. Il s'agit du sens d'une vie. La mienne a épuisé le sien et doit maintenant s'accomplir pleinement.

— Et tu iras ensuite dans votre paradis, celui avec les houris et les vierges ?

— Il ne s'agit pas d'un sacrifice : il s'agit d'un accomplissement. Ramène-moi, s'il te plaît.

Cronberg tournait sur place, cherchant en vain l'argument qui pourrait convaincre son ami. La lune, voilée un instant par un nuage, éclaira soudain son visage. Il comprit devant la détermination qu'il y lut qu'il ne le convaincrait jamais. Alors il céda.

— D'accord. Je vais te ramener. Mais tu dois me promettre une chose à ton tour.

— Oui ?

— Tu ne diras à personne ce qui va se passer...

Lotfi réfléchit.

— Vous n'arriverez de toute façon pas à vous sauver. Les soldats sont prêts à tirer. Peut-être Bonaparte aura-t-il modifié ses plans d'ici demain. Mais si vous tentez une sortie, le massacre sera avancé, et si vous vous révoltez, vous ne lui laissez plus d'autre choix. Personne ne pourra alors plus se prévaloir de ce geste, qui sera un geste de guerre aussi légitime que beaucoup d'autres.

— Tu n'y crois pas toi-même, j'en suis sûr. Mais c'est d'accord.

— Je vais te ramener. Rien ne pourra te faire changer d'avis ?

— Rien.

Les deux hommes s'ébranlèrent. Cronberg marchait devant. Il n'avait pas réentravé Lotfi, lui laissant toute latitude de fuir. Mais l'Égyptien ne le fit pas. Quand ils arrivèrent en vue du caravansérail, Sébastien ralentit le pas. Devant le soldat de garde, il annonça :

— Je viens ramener un prisonnier que le général voulait voir.

Le soldat ne fit aucun commentaire et s'effaça pour permettre à son collègue d'ouvrir la porte.

Lotfi regarda une dernière fois Sébastien.

— Il n'est pas attaché ? s'inquiéta le soldat.

Cronberg fit le geste que cela importait peu et regarda la lourde porte se refermer. Lotfi ne se retourna pas.

Sébastien partit loin dans le désert, jusqu'à atteindre le sommet des collines qui surplombaient Jaffa. Il resta, pendant des heures, le cœur meurtri, attendant que le soleil se lève. Une blessure d'amitié pouvait-elle donc faire encore plus mal qu'une blessure d'amour ?

Quand il redescendit, le massacre avait commencé. Les soldats avaient sorti les prisonniers du caravansérail, après les avoir regroupés par ethnies. Les premiers furent les Maghrébins. En chaîne, ils furent emmenés sur la plage. Deux bataillons de soldats les attendaient face à la mer, l'arme au poing. Quand les hommes, trois cents à peu près, furent installés, ils épaulèrent leur fusil et tirèrent. Les victimes se mirent à hurler. Quelques-uns tentèrent de se retourner contre leurs bourreaux, mais furent vite abattus. Les autres essayèrent de fuir par la mer. Certains se noyèrent, d'autres se firent tuer sur place. Les plus déterminés nagèrent jusqu'aux rochers, et des soldats furent envoyés en barque pour les achever. L'eau se teinta de rouge, les vagues roulèrent des flots écarlates et rejetèrent les corps morts. Sur le rivage, un bataillon s'occupa de les porter dans de grandes fosses communes qui avaient été creusées non loin de là.

C'est ce travail qui prit le plus de temps : il fallut amener des charrettes, dont certaines s'embourbaient dans le sable, les remplir des corps trempés et les amener ensuite vers les fosses, dont on s'aperçut à la fin de l'après-midi qu'elles ne seraient pas suffisantes et qu'il fallait en creuser deux de plus.

La journée fut horrible. Le soir venu, chacun espérait que Bonaparte serait plus clément envers les survivants. Il n'en fut rien. Le lendemain, les massacres reprirent. Douze cents canonniers turcs furent amenés dans le désert. Le bruit de la tuerie de la veille s'étant répandu, ce fut plus difficile de les faire bouger. Consigne avait été donnée d'économiser la poudre : ils furent exécutés à la baïonnette. Deux bataillons se collèrent à la tâche. Les prisonniers furent regroupés, par centaines, et les soldats chargèrent. Les corps tombaient les uns après les autres. Certains essayaient de se cacher sous leurs camarades déjà tombés pour échapper au coup fatal, et il fallait alors enlever ou repousser les premiers cadavres pour les atteindre. Quelques soldats s'écroulèrent en sanglots ou refusèrent de continuer, surtout parmi les plus jeunes. L'odeur de sang devint vite insupportable sous le soleil qui tapait de plus en plus dur. Les enfants, qui avaient suivi leurs parents, ne furent pas épargnés.

Il fallut trois jours pour tuer tout le monde. Bonaparte, au milieu de la sinistre besogne, fit publier une proclamation aux peuples de Palestine.

« *Restez tranquilles dans vos foyers. J'accorde sûreté et sauvegarde à tous. Que la religion surtout soit protégée et respectée... C'est de Dieu que viennent tous les biens : c'est lui qui donne la victoire.* »

Et il envoya une autre proclamation, à Djezzar celle-là, pour lui faire comprendre le destin qui le menaçait.

Sébastien passa les trois jours à suivre le massacre. Il essaya de trouver le corps de Lotfi, sans y parvenir. À s'en abîmer les yeux, il scrutait chaque groupe. Mais il y en avait trop. Le temps qu'il en ait examiné un, un autre avait déjà été abattu. On le vit traîner autour des cortèges de vivants, parcourir les fosses communes, remonter, le regard fixe, des tas de corps abattus... Il ne trouva pas Lotfi. Parfois il demandait aux soldats massacreurs s'ils avaient vu un homme avec deux balafres sur le visage, mais ceux-ci ne s'en souvenaient guère.

— Vous croyez qu'on les regarde ? lui répondit l'un d'entre eux, l'uniforme rougi presque jusqu'aux coudes.

Et Sébastien ne posa plus de question.

Quand enfin la tuerie cessa, il n'avait pas trouvé le corps de son ami.

Alors il se prit à espérer, et imagina plus fortement jour après jour et contre toute vraisemblance que Lotfi El-Bakri était toujours vivant.

Chapitre 25

Ce n'est que le lendemain qu'il alla trouver Bonaparte pour lui raconter que le responsable de l'expansion de la peste était sans doute mort avec les prisonniers exécutés.

— Cette histoire de peste est donc derrière nous ?

— Je n'en suis pas sûr, mon général. Les germes ont été lancés, un nombre grandissant de nos soldats est atteint, et la maladie se répand très vite. Surtout...

— Ça ne suffit pas ?

Bonaparte le regarda comme s'il était responsable.

— Surtout, mon général, le bruit court parmi les hommes que la maladie se répand. Ils ont peur.

— C'est inquiétant. Bon et Rampon m'ont d'ailleurs fait un rapport en ce sens. Nous allons voir ça. Sans doute faudrait-il que je passe à l'hôpital. Cette teigne de Desgenettes nous y accueillerait, je suppose ?

— Il a pour vous le plus profond des respects, mon général.

— Allons-y alors. Je me rendrai mieux compte par moi-même.

Bonaparte arriva près du bâtiment dévolu aux malades. C'était un monastère grec orthodoxe, que Desgenettes avait tenté de transformer en lazaret. Mais il n'avait que quelques aides égyptiens et des paillasses hâtivement mises en place. Et les pauvres moines qui tremblaient de peur ne lui étaient guère utiles.

Le docteur était là. Quand il vit entrer Bonaparte, il se raidit. Bonaparte le comprit-il ? Il se rendit immédiatement vers lui, chaleureux et ouvert, et lui affirma :

— Je crois qu'il va falloir prendre toutes les mesures pour installer ici un hôpital digne de ce nom.

Desgenettes qui, après les massacres, s'attendait sans doute à devoir batailler pour obtenir des conditions sanitaires décentes parut un instant désarçonné, instant suffisant pour que Bonaparte reprenne le dessus et l'entraîne vers les malades.

— Voyons ces soldats. C'est la peste pour tous ?

Le terrible mot n'avait encore jamais été prononcé officiellement. Desgenettes attrapa Bonaparte par le bras.

— Mon général, je ne crois pas qu'il soit opportun d'utiliser ce mot. Parlez de fièvre ou de maladie, mais pas de peste. Son effet est désastreux sur le moral des troupes. J'ai déjà du mal à expliquer ce qui se passe. Nous avons trente et un hommes malades en ce moment, et quatorze sont déjà morts.

— Laissez-moi en charge de ce moral, je vais le remonter.

Bonaparte s'enfonça dans l'hôpital. Il le parcourut, s'arrêta près d'un homme, dont des bubons parsemaient le corps, et lui dit quelques mots. Pendant une heure et demie, il s'entretint avec chacun et évoqua avec Desgenettes des problèmes très concrets d'organisation. À la fin de sa visite, il se trouva coincé dans une chambre très étroite. Un homme y était allongé. Ses vêtements étaient déchirés et souillés par le pus qu'exsudaient plusieurs plaies.

— Mon général, peut-être vaudrait-il mieux que vous ne restiez pas trop longtemps. Cette pièce est confinée, la maladie est contagieuse, et cet homme est mort il y a peu. Nous devons d'ailleurs le transporter dehors.

Un infirmier était en train d'essayer de soulever le cadavre. Faisant fi des déclarations de Desgenettes, Bonaparte s'agenouilla et attrapa les jambes du mort. Puis il aida à le déplacer.

— Mon général..., murmura Desgenettes.

Une heure après, tout le campement était au courant de l'acte héroïque du général, et un vent de confiance soufflait à nouveau jusque dans les campements les plus insalubres.

*

* *

Desgenettes continua d'installer et d'aménager les hôpitaux. Bonaparte lui envoya un dénommé Ygré.

— C'est le général qui m'envoie, docteur, lui dit l'homme. J'étais second maître canonnier sur la *Hercule*.

L'homme était jeune, paraissait épanoui et bien nourri, tranchant avec une armée dont l'état physique était de plus en plus délabré.

— Je crois que je peux guérir la peste.

Il souriait, content de lui. Desgenettes le regarda, las autant que surpris.

— Ah bon ?

Ygré paraissait en fait plus heureux du soulagement qu'il allait apporter que vaniteux. Il tendit à Desgenettes un flacon rempli d'un liquide jaune et sentant fort.

— Et ceci est… ?

— Un élixir dont ma grand-mère avait le secret. Elle a guéri beaucoup de gens en Espagne avec.

Desgenettes huma le liquide. Il en prit un peu dans sa main, le goûta du bout de la langue.

— Il y a quoi dedans ?

— Des herbes que l'on trouve ici par chance…

Ça ne pouvait sans doute pas faire de mal.

— Et le général vous a dit de me l'apporter ?

— Oui.

— Eh bien, essayez-le. Mais faites attention : laissez les gens se frotter avec, et ne vous approchez pas trop près.

L'élixir ne guérit personne. Mais le dévouement d'Ygré auprès de ceux qu'il aidait et tentait d'arracher à la mort fut tellement manifeste que Desgenettes se félicita vite qu'on lui ait adjoint le jovial petit homme, et ne lui fit jamais toucher du doigt à quel point son miraculeux remède n'avait sans doute jamais aidé personne à guérir.

« Dans le fond, je les aide au moins à mourir », se dit-il un jour avec lucidité.

Desgenettes pensa à un autre faiseur de miracles, qui avait lui aussi un remède censé résoudre le problème. Il était vénitien, s'était vanté tant et plus mais avait finalement refusé de s'approcher des malades.

*

*   *

Sa démonstration de force avec la peste terminée, Bonaparte semblait avoir oublié le problème et avait réuni ses troupes pour continuer son parcours vers Djezzar Pacha, dont il supposait que sa sanglante démonstration l'avait suffisamment terrorisé pour qu'il ne résiste guère.

Il convoqua Desgenettes et Sébastien le matin de son départ. Les troupes étaient rassemblées. Déjà on sentait leur état de fatigue : les uniformes étaient abîmés et souvent en lambeaux, les hommes paraissaient épuisés et un trop grand nombre restaient en arrière, terrassés par la fièvre dans les bâtiments de Jaffa aménagés en hôpitaux.

— Docteur, avez-vous des hommes de confiance qui puissent rester à Jaffa ?

— Peu, mon général. Beaucoup d'infirmiers sont morts, victimes de la maladie, et mes adjoints sont franchement mal formés.

— Il va pourtant falloir que vous me suiviez. Les hommes ici ne sont plus aptes à combattre, et il faut que j'en garde le maximum d'efficaces avec moi. Trouvez trois personnes qui soient capables de vous suppléer, et informez-les qu'elles ne quitteront pas ce lieu. Larrey, par exemple…

— Bien, mon général. Je le lui demanderai.

— Pensez-vous par ailleurs toujours pertinent de ne pas parler de peste ? Si nos hommes pouvaient identifier le fléau qui les mine, ne s'en protégeraient-ils pas mieux ?

— Il est toujours dangereux d'éclairer un malade sur sa maladie quand elle est grave. Permettez-moi de considérer toute l'armée comme un seul malade, et de lui appliquer cette règle.

— Si cela vous semble être la solution, vous avez sans doute plus d'expérience que moi…

Il se tourna vers Cronberg.

— Sébastien, je vais avoir besoin de vous. Vous vous êtes beaucoup occupé de cette histoire de peste, et il me semble bon que vous continuiez de le faire. J'ai préparé quelques ordonnances, et vous renvoie au Caire avec. Je ne crois pas qu'il faille s'embarrasser devant les Égyptiens des précautions que nous prenons avec nos troupes, et ils sont suffisamment familiers de la peste pour ne pas se choquer de la voir nommée.

Sébastien jeta un œil sur les textes. Effectivement, ils ne faisaient guère mystère du danger. Après l'avoir clairement défini, le document affirmait la nécessité de mettre en quarantaine quiconque avait « *la certitude, des doutes ou même simplement des soupçons d'être atteint de la peste* ». Et la liste des punitions prévues allait de la bastonnade à la peine de mort.

— Vous ferez traduire cela et vous vous assurerez que ce soit placardé partout.

*

* *

Sébastien revint au Caire avec un sentiment d'infinie tristesse. La plupart des savants avaient déserté l'Institut, beaucoup ayant accompagné l'armée, d'autres ayant enfin eu la chance de partir vers la Haute-Égypte. Il se retrouva presque seul, entouré des ombres de ceux qu'il avait déjà perdus : Seydoux, Lotfi, Dupuy... Même le Polonais Sulkowski lui manquait. Et, comme si cela ne devait jamais s'arrêter, il apprit trois jours après son retour la mort de Venture, que la dysenterie avait emporté devant Saint-Jean-d'Acre.

Cela suffit à le décider à rendre visite à Bakri. Pendant trois jours, il avait tergiversé, ne sachant trop s'il devait dire au cheik ce qu'il était advenu de son fils. En se rendant chez lui, sur une vieille rosse trouvée dans les réserves vidées de l'armée, il ne le savait toujours pas.

Il ne le comprit qu'en mettant pied à terre dans le jardin de son hôte et en voyant ce dernier, ayant de plus en plus de mal à déplacer sa grosse masse, se précipiter vers lui, le visage illuminé. Non, il ne pouvait briser cet homme en lui révélant la vérité. S'il devait apprendre qui avait été son fils, ce ne serait pas de sa bouche. Que se passerait-il d'ailleurs s'il le lui disait ? Estimerait-il que son fils l'avait trahi ou serait-il au contraire fier de ce courage que lui-même n'avait pas eu ?

Bakri le fit tout de suite asseoir. Comme par miracle, hibiscus et narghilé surgirent, apportés par des domestiques. Zaynab était là, et Sébastien s'inclina devant elle. Elle aussi, qui était-elle ? Quel rôle avait-elle joué dans l'affaire ? Elle l'avait mené droit dans un piège, mais lui avait ensuite sauvé la vie. Elle gardait les yeux baissés, imperturbable, comme si rien ne s'était passé. Apprendrait-elle un jour la vérité ? Sans doute pas. La fosse commune qui avait englouti le corps de Lotfi ne relâcherait jamais ses secrets.

— Notre Diwan a été reconstitué. Cette formule élargie qu'a remise en place votre général fonctionne très bien. La ville panse ses blessures.

Le cheik était exubérant, en faisait presque trop. Il entraîna Sébastien dans un tour du jardin, et ils s'assirent tous les deux au bord de la fontaine dont le murmure les accompagna un long moment. Chaque endroit rappelait à Sébastien l'air entendu et malicieux de Lotfi, et ce qu'il n'était plus certain de devoir appeler sa dérive.

Quand il partit, Sébastien savait qu'il ne reviendrait plus.

*

* *

La lutte contre la peste l'occupa beaucoup. Les mesures d'hygiène étaient compliquées à faire appliquer dans une ville où les habitants étaient habitués depuis des années à vivre avec le fléau. La quarantaine était très peu respectée. Quelques récalcitrants furent capturés et exécutés, sans que cela ait un impact très fort sur les autres.

Loin des combats, les nouvelles du front étaient attendues avec une grande impatience. Elles n'étaient pas bonnes. L'armée piétinait devant Saint-Jean-d'Acre, et la ville semblait se refuser aux troupes que la peste laminait. On apprit avec indignation que deux hommes étaient venus prêter main-forte aux assiégés : un commodore anglais, Sir Sydney Smith, et surtout un ancien condisciple de Bonaparte à l'École militaire de Paris, Antoine de Phelippeaux. L'épidémie grandissait. Desgenettes, qui était resté à Jaffa, écrivit une lettre qui mit une semaine à arriver à Sébastien. « *Je me trouve fréquemment obligé de nettoyer l'espèce de souterrain fangeux où les malades sont étendus sur des joncs, c'est-à-dire de ramasser les haillons, les sacs, les baudriers, les casquettes, les chapeaux ou les bonnets à poil des morts pour les jeter moi-même dans le feu que j'ai fait allumer derrière l'hôpital.* » Mais c'est par quelqu'un d'autre que Sébastien apprit le geste fou du médecin : s'injecter ce qu'il avait prélevé dans un bubon pour rassurer ses malades...

Bonaparte enfin décida de lever le siège et de revenir au Caire. Les bataillons ravagés par la maladie s'ébranlèrent. Partout il fallait s'arrêter pour laisser les hommes atteints dans des installations souvent inadaptées. À Gaza, au mont Carmel, les pestiférés grouillaient. À Jaffa, un autre incident violent opposa Bonaparte et Desgenettes. Deux cents malades y étaient restés. Seule une cinquantaine pouvaient être évacués à cheval. Pour les autres, il aurait fallu des brancards ou des voitures. Bonaparte convoqua son médecin, seul avec Berthier. Il suggéra que, la plupart de ces hommes étant condamnés, on abrège leurs souffrances avec de l'opium. Desgenettes se leva, révolté : « Mon devoir, c'est de conserver », lui avait-il répondu. Le général était « soufflé », raconta plus tard Berthier à Sébastien. Bonaparte fit valoir qu'il ne demandait pour les autres que ce qu'il aurait demandé pour lui en pareil cas. Desgenettes persista à refuser. Tous n'eurent pas ces scrupules. Claude Royer, le pharmacien en chef, donna une dose mortelle d'opium à quelques dizaines de soldats. La propagande anglaise sauta sur l'incident dès qu'elle en eut connaissance, et cette euthanasie forcée fut elle aussi portée au débit des Français.

De nouveau en selle, Bonaparte sut préparer son retour. Une foule enthousiaste l'attendait au faubourg de Qobbet El-Azeb. À l'entrée du Caire, des cavaliers l'ayant précédé, chantant ses victoires et occultant ses échecs. Le Diwan publia le lendemain de son retour un firman enthousiaste : « *Il est arrivé au Caire le bien gardé, le chef de l'armée française, le général Bonaparte qui aime la religion de Mahomet. Il est arrivé bien portant et bien sain, remerciant Dieu des faveurs dont il le comble.* » Mais cela ne trompa personne : la défaite devant Acre marquait sans doute la fin d'un rêve. Et l'armée en lambeaux, épuisée et malade, n'avait plus rien de triomphal.

La deuxième bataille d'Aboukir vint heureusement mettre un peu de baume sur ses blessures. Le génie de Bonaparte y éclata à nouveau, et lui permit, en utilisant audacieusement un éperon rocheux de la plage, de précipiter en quelques heures la perte de l'armée turque. « Vous êtes grand comme le monde », dit Kléber, enthousiaste. Le symbole du nom d'Aboukir, où la victoire du présent effaçait la défaite du passé, ajoutait à l'impact psychologique de la chose. Fatigué par sa mission et dégoûté par les progrès de la maladie, Sébastien participa pourtant peu aux festivités qui suivirent cette éclatante victoire.

Bonaparte, déjà, était ailleurs. Sébastien le voyait régulièrement pour s'entretenir avec lui de l'état sanitaire de la capitale mais sentait bien que l'esprit du conquérant voguait.

— Sébastien, lui demanda-t-il un jour, aimeriez-vous revoir Paris ?

Le jeune homme ne sut que répondre, tant la question le prenait de court. Comme la plupart des exilés, il avait fini par s'habituer à l'idée de devoir rester ici encore quelques années.

— Je... Oui, bien sûr, mon général... Mais... Je n'y ai pas vraiment réfléchi... Vous envisagez de rentrer ? Comment le pourriez-vous ?

— J'ai encore reçu une lettre du Directoire qui refuse de m'envoyer de nouveaux hommes. Nos troupes ont fondu comme si le sable les aspirait.

Cette maladie finit de les exterminer. Je demande six mille hommes. Six mille ! Autant dire rien ! Et on ne me répond même pas. Les dépôts de Gênes, de Civitavecchia et de Toulon, qui nous approvisionnaient, ont été rattachés à l'armée d'Italie. Nous sommes étranglés. Mais ce n'est pas le pire... Là-bas, ils vont de défaite en défaite. L'Italie a été perdue. Les Russes et les Autrichiens ont battu Jourdan et Moreau. La Vendée se révolte. Nous sommes entourés d'ennemis. La France se perd, Sébastien. Il faut la sauver.

Il s'interrompit.

— Et je suis le seul à pouvoir le faire.

— Ne craignez-vous pas qu'on vous accuse de déserter ?

— Déserter quoi ? S'enraciner ici est un suicide. Nous n'avons plus de renforts, plus de ravitaillement, plus de munitions. La France nous abandonne. Partir est un déchirement. Mais rester, c'est pire.

Il s'interrompit

— Je vous veux avec moi, Sébastien, soyez prêt.

*

* *

Les préparatifs du départ furent tenus secrets. Trois personnes seulement étaient dans la confidence : Berthier, Bourrienne et le sous-amiral Ganteaume. Bonaparte hésita longtemps à désigner son successeur puis choisit Kléber. L'embarquement fut fixé au 24 août à midi. Les bateaux anglais qui croisaient au large d'Alexandrie avaient par chance disparu. Le champ était libre et Ganteaume pria le général de se presser.

Ils arrivèrent à Alexandrie le 22 août. Une brise de sud-est s'était levée. Fait rare qui permettait aux bateaux transportant le général de partir rapidement au large : tout le monde y vit un présage de plus de la bonne fortune de Bonaparte. Tout le monde, sauf Desaix et Kléber qui arrivèrent trop tard. Bonaparte avait remis à Menou ses instructions pour son successeur. Il emmenait avec lui Beauharnais, Monge et Berthollet, Bourrienne et un détachement de Mamelouks, commandé par un nommé Roustam, devenu son inséparable serviteur.

L'émotion du départ fut extrême. Ceux qui restaient ne savaient pas quand ils auraient la chance de s'embarquer, et ceux qui partaient avaient le sentiment de fuir une situation où, à l'inverse de l'Italie, ils n'avaient pas triomphé. Personne n'osait encore faire un bilan de l'expédition. La veille, Bonaparte avait interpellé Sébastien.

— Êtes-vous triste de partir ?

— Un peu, mon général. Je n'ai pas l'impression que nous avons semé ici tout ce nous pouvions espérer récolter.

— Retourner vers l'Europe et laisser l'Orient derrière nous… J'aurais pu créer une nouvelle religion, réunir les expériences des deux mondes, fouiller dans toutes les histoires…

— Et attaquer les Anglais aux Indes.

— Aussi. J'aurais pu être Alexandre. Ce beau rêve restera inachevé. Croyez-vous que je le regretterai un jour, Sébastien ?

— Peut-être. Mais je crois aussi qu'il vous donnera des ailes, mon général.

— Je l'espère, Sébastien. Ce vers quoi nous allons naviguer m'apparaît aujourd'hui bien étriqué.

Cette confidence revint à Cronberg quand, à bord du *Muiron*, il vit s'éloigner la côte. Il eut alors le sentiment d'un immense gâchis. Amitiés perdues, espoirs déçus, maladie... Qu'avaient-ils apporté à ces gens-là ? Il regarda Bonaparte, accoudé au bastingage, qui tournait le dos à la terre et regardait vers l'horizon.

Qu'est-ce qui l'attendait là-bas ? L'Alexandre aux ailes coupées allait-il une nouvelle fois rebondir dans cette France qui ne l'espérait plus avec autant d'enthousiasme que deux ans auparavant ? Sébastien ne le savait pas. Il laissait plus de lui en Égypte qu'il ne l'aurait cru. Mais il sentait, avec une absolue certitude, qu'il n'y aurait pas pour lui de vie possible ailleurs que dans le sillage de celui que la lune baignait maintenant d'une lumière blanche. Et, comme lui, il tourna le dos au désert pour regarder au loin la ligne pâle sur laquelle apparaissaient quelques étoiles.

10859

Composition
NORD COMPO

Achevé d'imprimer en Espagne
par CPI *(Barcelone)*
le 15 septembre 2014.

Dépôt légal septembre 2014.
EAN 9782290041789
OTP L21EPLN000237N001

ÉDITIONS J'AI LU
87, quai Panhard-et-Levassor, 75013 Paris

Diffusion France et étranger : Flammarion